TIMOTHY FINDLEY

Timothy Findley est né à Toronto en 1930. Acteur, scénariste et dramaturge, il est surtout connu comme le grand romancier qui a donné *Le dernier des fous*, *Nos adieux*, *Chasseur de têtes* et *La fille de l'homme au piano*. Sa renommée internationale s'est imposée avec *Guerres*, son troisième roman, couronné du Prix du Gouverneur général en 1977. Depuis, on lui a décerné plusieurs doctorats honorifiques et, en 1996, il a été fait Chevalier de l'Ordre des arts et des lettres de France. Il partage aujourd'hui son temps entre Stratford, en Ontario, et la Provence. Les œuvres de Timothy Findley ont été traduites en une douzaine de langues à travers le monde.

GUERRES

Robert Ross a laissé derrière lui un souvenir flou, tout en demi-teintes. Peut-être est-ce parce que ce lieutenant de l'armée canadienne symbolise la guerre dans toute sa démesure et dans toute son absurdité. Pour mieux connaître cet homme, il faut fouiller sa vie, depuis son enfance à Toronto jusque dans les tranchées boueuses et jonchées de cadavres d'Ypres, dans les Flandres, en passant par son entraînement militaire en Alberta. Il faut aussi consulter les derniers témoins de l'existence de ce soldat, de même que les photographies et les lettres susceptibles d'éclairer son destin. Était-il un héros ou un traître? À travers le portrait saisissant d'un conflit interminable et atroce, celui de la Première Guerre mondiale, Timothy Findley vient rappeler que les hommes, tout comme les guerres, s'expliquent finalement assez peu, ou pas du tout. Si « chaque génération a sa guerre sauf celle-ci », ce roman devient à sa façon une véritable guerre contre l'oubli, livrée à coups d'images, de paroles et de souvenirs.

GUERRES

TIMOTHY FINDLEY

Guerres

traduit de l'anglais
par Éric Diacon

BIBLIOTHÈQUE QUÉBÉCOISE

BQ

BIBLIOTHÈQUE QUÉBÉCOISE est une société d'édition administrée conjointement par les Éditions Fides, les Éditions Hurtubise HMH et Leméac Éditeur. Bibliothèque québécoise remercie le ministère du Patrimoine canadien du soutien qui lui est accordé dans le cadre du Programme d'aide au développement de l'industrie de l'édition. BQ remercie également le Conseil des Arts du Canada et la Société de développement des entreprises culturelles du Québec (SODEC).

Conception graphique : Gianni Caccia
Typographie et montage : Dürer *et al.* (MONTRÉAL)

Données de catalogage avant publication (CANADA)
Findley, Timothy, 1930-
Guerres
Traduction de : The Wars
ISBN 2-89406-183-8

I. Diacon, Éric. II. Titre. II. Titre: The Wars. français

PS8511.I38W314 2000 C843'.54 C00-940293-4
PS9511.I38W314 2000 PR9199.3.F56W314 2000

Dépôt légal : 1er trimestre 2000
Bibliothèque nationale du Québec
Titre original: *The Wars*
Publié par Clarke, Irwin & Company Limited

IMPRIMÉ AU CANADA

À mon père
et ma mère,
à P.M. Findley,
et à la mémoire
de T.I.F.

« Rien de ce qui est ne mourra. »

EURIPIDE

« Dans un domaine aussi dangereux que la guerre, les pires erreurs sont celles qui procèdent d'un esprit de bonté. »

VON CLAUSEWITZ

REMERCIEMENTS

Il est rare qu'un roman contienne des remerciements; cependant, celui-ci n'aurait pu être écrit sans les encouragements, l'aide et la considération de Graham Brogan, Nancy Colbert, Stanley Colbert, Nora Joyce, Alma Lee, Buffalo Brad Nicholson, Beverley Roberts et William Whitehead. Je tiens en outre à remercier Alan Walker, dont les connaissances techniques m'ont été précieuses, Ellen Powers, qui a tapé le manuscrit, et Juliet Mannock, qui l'a relu d'un œil critique d'historienne. Enfin, je voudrais exprimer ma reconnaissance à M... pour les téléphones de minuit et les lettres d'où sont tombées les photographies.

Timothy Findley

UN

PROLOGUE

Elle était debout au milieu des voies. Elle avait la tête basse et tenait le sabot avant droit levé comme pour se reposer. Ses rênes pendaient jusque par terre et sa selle avait glissé sur le côté. Derrière elle, un dépôt plein de fournitures médicales venait de prendre feu. Un chien était couché à côté d'elle, la tête entre les pattes, les oreilles dressées en position d'écoute.

À dix pas de là, Robert était assis sur ses talons à les regarder. De ses doigts, son pistolet pendait entre ses genoux. Il portait toujours son uniforme, aux insignes arrachés et aux manches brûlées. Dans la lumière du feu, ses yeux étaient très brillants. Ses lèvres étaient légèrement entrouvertes. Il ne pouvait respirer par le nez. Il était cassé. Son visage et le dos de ses mains étaient souillés de terre et de sueur. Ses cheveux tombaient sur son front. Il était absolument immobile. Il errait maintenant depuis plus d'une semaine.

Derrière lui, la voie ferrée conduisait vers la ville. Devant, elle traversait le feu en direction de la pleine campagne et de la route menant au Bois de Madeleine. Sur l'une des voies de garage, il y avait un train. Mécanicien et hommes d'équipe l'avaient abandonné, à moins qu'ils n'eussent été tués. On ne pouvait le dire. Robert paraissait être l'unique survivant.

Il se leva. La locomotive grogna et chuinta. Le convoi comprenait une douzaine de voitures, pas plus. Il semblait que ce fût des wagons à bestiaux. Robert se dirigea vers la jument.

Il avait craint qu'elle ne soit éclopée ; mais aussitôt qu'il s'approcha, elle posa son sabot sur le ballast et releva la tête. Robert la caressa, passa le bras autour de son cou et remit les rênes en place par-dessus ses oreilles. Elle le salua d'un reniflement, puis tourna la tête pour le regarder ajuster sa selle et resserrer ses sangles. Cependant, le chien s'était levé et remuait la queue. On eût dit que le cheval et lui avaient attendu que Robert vienne les chercher.

Le cheval était une belle jument noire d'environ seize paumes. Il n'avait cessé d'être bien soigné, et on l'avait manifestement monté chaque jour. Il était en superbe condition. Le chien semblait habitué à sa compagnie, et lui à la sienne. Ils se déplaçaient en flèche. Le chien était noir, lui aussi. L'une de ses oreilles tombait curieusement en avant, ce qui lui donnait un air effronté. Robert ne savait pas de quelle sorte de chien il s'agissait, mais il avait à peu près la taille d'un labrador. Avant de se mettre en selle, Robert se pencha et lui frotta le dos d'une main. Après quoi, il dit « Allons-y », et se hissa sur la jument.

Ils suivirent les rails en direction de la route conduisant au Bois de Madeleine, longeant la locomotive entreposée sur la voie de garage. Lorsqu'ils eurent atteint le premier wagon, le cheval s'arrêta. Il jeta la tête en arrière et hennit. D'autres chevaux lui répondirent de l'intérieur de la voiture. « Parfait, dit Robert. Dans ce cas, on ira tous ensemble. »

Une demi-heure plus tard, les douze wagons étaient complètement vides, et Robert suivait les rails à la tête de cent trente chevaux, le chien trottant à côté de lui. Ils atteignirent la route du Bois de Madeleine à une heure du matin. C'est alors que la lune se leva — rouge.

1

Tout cela s'est passé il y a longtemps. Mais pas si longtemps que tous les acteurs en soient morts. On peut encore en rencontrer certains dans d'obscures vieilles chambres où veillent des infirmières. Ils vous regardent et remettent leurs pensées en ordre. Ils disent: « Je ne me souviens pas. » Il faut protéger contre les étrangers les occupants de la mémoire. Interrogés sur ce qui s'est passé, ils répondent: « Je ne sais pas. » Au nom de Robert Ross, ils détournent les yeux. « Il est mort », vous disent-ils. Cela ne vous apprend rien. « Parlez-moi des chevaux », demandez-vous alors. À cette question, parfois, ils se mettent à pleurer. D'autres fois, ils marmonnent « Le salaud! » À ce moment-là, l'infirmière vous adresse un signe de tête comme pour dire: Vous voyez? Mieux vaut vous en aller et chercher vos informations ailleurs. Finalement, vous n'avez que des faits connus, dont vous tirez ce que vous pouvez, sachant qu'une chose mène à l'autre. Ce qu'il faut accepter dès le commencement, c'est que bien des hommes sont morts comme Robert Ross, annihilés par la violence. Lawrence fut projeté contre un mur, Scott enseveli dans la neige et le vent, Mallory anéanti sur la face de l'Everest. On nous dit qu'Euripide fut tué par des chiens, et c'est tout ce que nous savons. La chair déchirée a été dispersée, mangée. Ross a été consumé par le feu. Ce sont là comme des avertissements : «*Prenez garde !*» L'homme ne peut être trouvé que dans ce qu'il fait.

2

Vous commencez aux archives par les photographies. Robert et Rowena ; lapins et fauteuils roulants ; enfants, chiens et chevaux. Barbara d'Orsey ; le *S.S. Massanabie* ; le Bois de Madeleine. Des cartons et des cartons remplis d'instantanés et de portraits ; des lettres et des cartes de géographie ; des câblogrammes et des coupures de journaux. Tout ce que vous avez à faire, c'est remplir une fiche et ramener les documents à votre place. Sous les lampes, c'est toute une époque qui, par fragments, s'étale sous vos yeux. *La guerre qui mettra fin à toutes les guerres.* Vous n'entendez rien, sinon votre montre à votre poignet. Dehors, il neige. La nuit vient de bonne heure. L'archiviste regarde de derrière son pupitre. Elle tousse. Les cartons sentent la poussière jaune. Vous retenez votre souffle. Une part de ce passé qui défile sous vos doigts s'effrite. Pour d'autres, vous savez que vous ne les trouverez jamais. Voilà tout ce que vous avez.

3

1915

L'année elle-même paraît sépia et sale — brouillée comme ses photographies. Sur les clichés, chacun paraît d'abord timide, perdu, irrésolu. Les garçons et les hommes louchent vers l'objectif. Méfiantes, les femmes tournent les yeux. Elles conservent encore une certaine réserve.

Vous reconnaissez une partie de ce que vous voyez. Ici, pour la première fois, la vieille élégance édouardienne hésite. Le style n'est plus ni ceci ni cela : il semble s'excuser. Les travailleurs portent des casquettes et des paletots informes, enfonçant leurs mains tout au fond de leurs poches. Partout, surgissent des imitations d'uniformes : cols marins pour les filles, costumes pour les garçons. Les femmes portent des espèces de manteaux d'allure militaire et se coiffent de chapeaux plats ornés d'une cocarde. Les dames ne portent plus leurs fourrures : elles s'en drapent, et les queues des renards pendent de leurs bras comme des scalps. Personne ne sourit. La vie est dangereuse. L'été amène les parasols, et l'hiver, les caoutchoucs. Certaines photographies sont floues. Même là où les personnages sont figés, les sombres machines qui emplissent les routes avancent.

Voici la Brigade des Garçons et sa fanfare. Des musiciens en herbe, grimés en nègres, paradent sur Admiral Road en jouant du tambourin. Chaque salon a son piano. Voici des soldats, bras dessus, bras dessous, qui chantent : «*Baisse la tête, Fritzie boy!*» Les habitués des thés dansants vont à la promenade entendre des orchestres où les cornets de cuivre et les saxos d'argent remplacent les violons.

C'est l'époque des automobiles. On en trouve plus d'un millier de marques. Des forgerons improvisés en fabriquent sur commande. DEMANDEZ À QUI EN POSSÈDE UNE ! Voici des familles tirées à quatre épingles assises dans des Packard, posant, l'air dégagé, à l'arrière de Chevrolet et de Russell Knight. Tout le monde semble en voyage autour du pâté de maisons. Les enfants se disputent pour actionner la corne.

Puis quelque chose arrive. Avril. Ypres. Six mille morts et blessés. La guerre, qui devait s'achever à Noël, pourrait ne pas finir avant l'été. Peut-être même pas avant l'automne. C'est ici que les images changent, s'emplissent de soldats, de chevaux, de wagons. Tout le monde fait signe, soit aux soldats, soit à l'objectif. Des gens de plus en plus nombreux souhaitent qu'on les voie. Des gens de plus en plus nombreux souhaitent laisser un souvenir. Des centaines, des milliers de personnes se pressent devant les appareils photo.

Et voici la troupe qui descend Yonge Street ! Les femmes ont abandonné leur ancienne réserve et se précipitent sur la chaussée pour lancer des fleurs et brandir des drapeaux. Voici le 48e régiment écossais ! Kilts, tambours et peaux de léopard. Des garçons à bicyclette s'élancent à leur suite. Bouche ouverte, des petites filles hésitent à les imiter. Des vieillards se découvrent. Et voilà Sir Sam Hughes, debout sur l'estrade, recevant le salut d'adieu. « GOD SAVE THE KING ! » (Un étendard) Où que l'on regarde, les trains quittent les gares et les bateaux les ports. La musique couvre les hourras. Tout le monde entre dans le champ de l'objectif, maintenant, et s'abrite les yeux du soleil. Tout le monde regarde, bras tendu, silencieux, au bord des quais, au bord du temps.

Robert Ross s'avance à cheval droit vers l'objectif. Son chapeau est tombé. Ses mains sont nouées aux rênes. Elles saignent. Le cheval est noir, trempé, défaillant. Robert a la bouche entrouverte. Il est penché sur le cou de la bête. Il a de la boue sur les joues et le front, et son uniforme brûle. Il traîne après lui de longues flammes brillantes. Sans bruit, il jaillit du souvenir. L'archiviste soupire. Elle tient les yeux baissés sur quelque livre. Elle a une mèche de cheveux dans la bouche. Elle l'écarte et tourne la page. Vous rangez dans votre esprit la brûlante image et vous la laissez reposer. Vous savez qu'elle ne vous accordera pas de répit avant que vous n'ayez trouvé sa signification — là.

Une fanfare est assemblée dans le kiosque à musique — vestes rouges et gants blancs. Elle régale la foule de *Soldiers of the Queen*. Vous la retournez — en vous demandant si les musiciens ne vont pas tomber — et, derrière, inscription pâlie d'une main féminine, vous lisez : « *Robert* ». Mais où ? Vous regardez encore et ne voyez rien d'autre que la foule. Et la fanfare continue à jouer, imperturbable, toujours parfaitement en place. Enfin, vous le voyez: Robert Ross. Debout sur le côté, les mains dans les poches, les yeux plissés et les jambes écartées. Ses cheveux lui barrent le front. Il porte une casquette à carreaux et un costume bleu sombre. Il regarde d'un air partagé; à la fois admirant et répugnant à admirer. Il est assez âgé pour aller à la guerre. Il n'est pas parti. Il doute de la valeur des efforts militaires, mais ce doute est inarticulé. Dans son esprit, ce n'est encore qu'un balbutiement. Lentement, il sort les mains de ses poches et se tourne pour saisir le dossier d'une chaise roulante. «Viens, Rowena. Il y a encore le reste du parc où s'installer.»

Thomas Ross et famille se tiennent à côté d'un camion Ford neuf. Le camion Ford neuf est stationné à l'entrée des ÉTABLISSEMENTS RAYMOND / ROSS, où se fabriquent des machines agricoles. Cette photo paraîtra dans le *Mail and Empire* de Toronto, avec un sous-titre annonçant que le camion a été remis à l'hôpital de campagne RAYMOND / ROSS, établi en France à l'arrière des lignes. De lourdes croix rouges en ornent les flancs. La «famille» comprend Mr. et Mrs. Ross ainsi que trois de leurs enfants: Robert, Peggy et Stuart. Rowena, l'aînée, n'apparaît pas. On ne la voit jamais sur une photographie susceptible d'être vue du public. En fait, elle n'est que rarement admise en présence d'une caméra. Robert a sa photographie sur son bureau.

Rowena est installée dans son fauteuil d'osier roulant. Elle porte une robe blanche. Ses cheveux sont courts et bouclés. Ses épaules sont perpétuellement voûtées. Elle a une grosse tête d'adulte sur le corps d'un enfant de dix ans. Elle a vingt-cinq ans. Elle est ce qu'on appelle *hydrocéphale,* ce qui, en termes clairs, signifie qu'elle est née avec de l'eau dans le cerveau. Elle a un air pensif et délicieux. Elle porte une large ceinture de couleur. Sur ses genoux, elle tient un gros lapin blanc. Robert lui a dit un jour qu'elle était le premier être humain qu'il se souvenait avoir vu. Il était couché dans son berceau lorsque, sortant du sommeil, il avait vu de ses yeux mi-clos sa sœur glisser dans sa chaise à travers la chambre et s'approcher de lui. Elle l'avait regardé très longtemps, et lui de même. Lorsqu'elle avait souri, il avait pensé que c'était sa mère. Plus tard, quand il avait compris qu'elle ne pouvait marcher et jamais ne quittait sa chaise, il était devenu son gardien. C'est pour elle qu'il avait appris à courir.

Mère et Miss Davenport, toutes deux en tablier, se tiennent sur le quai de Sunnyside Station et distribuent des tablettes de chocolat aux soldats penchés aux fenêtres du train. Elles font cela tous les jeudis après-midi. Robert souhaiterait que sa mère ne soit pas si active, car il est timide et pense qu'elle se montre trop souvent en public. Mais Mrs. Ross ne veut rien entendre. Ces choses-là doivent être faites... il faut bien que quelqu'un les fasse. La haute société a des devoirs — et que diraient les gens... ? Etc. Etc. Cependant, Miss Davenport hoche la tête en souriant. Elle approuve chaque mot. Mais pas un mot n'est vrai. Ce sont des rêves qui poussent Mrs. Ross à accomplir ses devoirs du jeudi après-midi.

Voici *Meg — un poney patriotique,* caparaçonné de drapeaux au milieu du jardin. Elle couche les oreilles. Soit elle a peur, soit elle est de mauvaise humeur. Meg est très âgée. À l'extrême bord de la photographie, on voit Stuart, ébloui par le soleil. Il porte une coiffure d'Indien et tient une batte de baseball.

Et voici *Peggy Ross et Clinton Brown de Harvard!!!* Dans l'apparence de Clinton Brown de Harvard, rien ne justifie les trois points d'exclamation. Ce ne fut qu'un des nombreux soupirants de Peggy. Robert est également sur la photo, assis sur le perron de la maison de South Drive en compagnie d'une fille nommée Heather Lawson. Robert était censé « s'intéresser » à elle, mais, en fait, c'est elle qui s'intéressait à lui. Non que Robert n'eût aucune affection pour elle — simplement, il n'était pas intéressé. Être « intéressé » conduisait au mariage, et c'est ce que voulait Heather Lawson. De même que ses parents. Pour n'importe quelle fille, Robert était un beau parti. Non seulement il était cultivé, mais c'était un athlète. En outre, il avait de l'argent.

Un été, les Ross se rendirent en Angleterre à bord du *S.S. Minnetonka* pour passer les vacances avec Mr. Hawkins, le représentant britannique de la RAYMOND / ROSS. Tout au long du mois de juin, ils languirent sur les plages de l'île de Wight. Fin juillet, ils rentrèrent chez eux sur le *S.S. Minnewanka,* frère jumeau du précédent. Durant la traversée, un matin de bonne heure, l'un des Ross — lequel ? — a pris une photographie de l'océan, sur laquelle, par la suite, il a dessiné une flèche désignant un petit point blanc situé à l'horizon. Le petit point blanc est à peine perceptible. Rien d'autre n'est visible, hormis l'océan et le ciel. Juste au-dessus de la flèche, hardiment écrit à l'encre noire, on peut lire : « QU'EST-CE QUE C'EST ? » Manifestement, il s'agit d'un iceberg. Quant à savoir comment l'auteur de la photo a pu conserver le moindre doute à ce sujet, la question reste un mystère. Le cliché est daté du 4 août, mais l'année n'est pas précisée.

Battez ces cartes et posez-les : c'est le jeu avec lequel est né Robert Ross. Mr. et Mrs. Ross — Peggy et Stuart — lapins et Rowena. Plus un chien dénommé Bimbo et une coupure de journal annonçant : « LONGBOAT A REMPORTÉ LE MARATHON ! » Meg et Miss Davenport — Heather Lawson et l'iceberg. Et Clinton Brown, de Harvard, qui est mort en héros à la bataille du bois Belleau en juin 1918 — et mérite enfin un point d'exclamation.

Le moment est peut-être venu de présenter Miss Turner, qui n'apparaît qu'à la fin de l'histoire, mais dont certaines remarques peuvent nous être utiles dès maintenant.

Marian Turner a été infirmière durant la Grande Guerre et conserve de Robert Ross un souvenir bien vivant. C'est elle qui l'accueillit et le soigna après qu'il eut été arrêté et conduit à l'hôpital du Bois de Madeleine. On lui doit (enregistré) l'unique témoignage direct en dehors de celui de Lady Juliet d'Orsey. Voici donc une partie de ce que Miss Turner a à dire. Elle a aujourd'hui plus de quatre-vingts ans, mais elle demeure robuste et parle avec vigueur, entrecoupant ses propos de rires et d'offres de sherry, dans un vaste et clair appartement qui ouvre sur un parc.

Transcription : Marian Turner — 1

« Étant donné ce qui s'est passé, vous comprendrez que je ne puisse vous dire de quoi il avait l'air. Je crois pourtant que c'est important. Et ça l'est, bien sûr ! *(Rire)*

Tout le monde veut savoir de quoi les gens ont l'air. D'une certaine façon, c'est très instructif quant à leurs possibilités. Vous voyez ce que je veux dire ? Tout ce que je peux affirmer, c'est que Lady Barbara d'Orsey en était amoureuse, et comme ses autres soupirants étaient formidables, je suppose que Ross l'était aussi. Quoi qu'il en soit, à cause de ce qui a eu lieu, je ne peux parler de son visage — mais il m'a donné l'impression de quelqu'un d'extrêmement bien fait qui s'occupe de son corps. En tout cas, c'est ainsi que je le vois dans mon souvenir. Après tant de temps, on finit par tous les confondre ; et tous ceux qu'on nous amenait nous paraissaient de si beaux gars. *C'était un si beau gars* — c'est une expression qu'on n'entend plus guère aujourd'hui. Mais c'est toujours ce que nous disions dans les lettres que nous adressions aux familles. Je pense que si on les voyait tous aussi beaux, c'est parce qu'on ne supportait pas de les voir massacrés. Le corps humain — oui — c'est comme l'esprit, je crois : terriblement impressionnant jusqu'au jour où on le sent en péril. Ça devient alors quelque chose de si fragile — comme du verre. Robert Ross ? Eh bien... c'était tellement tragique. Quand on pense qu'aujourd'hui tant de gens l'admireraient, surtout parmi les jeunes. Mais à l'époque... *(Pause)* Pour moi, c'était un héros — c'est un héros. Pas un héros comme ceux dont on nous rebat les oreilles, pas un Billy Bishop ni un sergent York, surtout pas ! *(Rire)* Mais un héros quand même. Vous comprenez, ce qu'il a fait, personne n'oserait seulement imaginer le faire. Et pour moi, c'est une définition du « héros » aussi valable que n'importe laquelle. Même si l'on condamne son action. C'était « un homme unique » — ce qui, en français, sonne davantage comme un compliment qu'en anglais. Oh, il était... *(Pause)*... le feu, vous savez — il n'y a rien de pire que le feu. Même après tout ce que j'ai vu. Et cette histoire de chevaux est une chose que je préférerais ne jamais avoir entendue. Oh! je comprends très bien que vous pensiez qu'il faut la faire connaître, mais... (*À ce moment-là, Miss Turner se tourna pour regarder par la fenêtre. L'enregistrement accuse un long silence.)*... Enfin. C'est la guerre qui voulait ça, j'imagine. J'entends toute cette folie, pas Robert Ross ou ce qu'il a fait. Vous allez me dire que c'est banal, bien sûr. Mais est-ce que ça l'est? Lorsque je regarde en arrière, j'ai du mal à croire ce qui s'est passé. Que les gens, dans ce parc, sont là parce que nous sommes tous devenus fous. Oui. Il était unique. Mais il vous faut être prudent en cherchant à reconstituer son histoire. J'ai vécu tout cela, vous savez — *(Rire)* — tout ce siècle extraordinaire — et ce n'est pas les gens extraordinaires qui en ont déterminé la folie. Bien au contraire. Oh! loin de là! Ce sont les gens — les hommes et les femmes — ordinaires qui ont fait de nous ce que nous sommes. Monstrueux, complaisants, fous. Souvenez-vous-en. Tant pis si j'ai l'air d'une vieille barbe qui moralise. Je suis vieille, c'est vrai. *(Rire)* Peut-être que demain je ne serai plus là! Peut-être ne trouverez-vous personne d'autre pour vous dire ce que je vous dis. Les gens sont si compliqués aujourd'hui qu'ils ne peuvent supporter la réalité. Hein? Oui — j'ai vu deux guerres. Et je suis ici pour vous dire que les passions en jeu sont tout aussi ordinaires que celles qui interviennent lorsque ma sœur Bessie et moi nous querellons pour savoir qui va préparer le dîner! *(Rire)* Ces gens dans le parc — vous, moi, tout le monde. La plus grande erreur que nous ayons faite, c'est d'imaginer que quelque chose de spécial nous séparait de Ludendorff, de Kitchener et de Foch. De nos chefs. De Churchill et de Hitler, si vous voulez — peu importe ! *(Rire)* Alors que ces hommes sont pareils au boucher et à l'épicier qui nous vendent de la viande et des pommes de terre par-dessus le comptoir. C'est cela qui nous lie à eux. Ils font appel à nos plus bas instincts. Le plus bas dénominateur commun. Après quoi, on rentre chez soi et on les déclare *extraordinaires ! (Elle souligna son propos en donnant sur la table un léger coup de poing qui fit tressaillir les verres de sherry.) Vous* comprenez ce que je veux dire. Il faut être extrêmement prudent lorsqu'il s'agit de définir ce qui est extraordinaire. Surtout aujourd'hui. Robert Ross n'était pas un Hitler. C'était ça, son problème. »

4

Pâques était tôt en 1915. Le Vendredi saint tombait le 2 avril. Ce matin-là, Robert descendit du train à Kingston en Ontario. Il avait une valise flambant neuve et portait sa casquette à carreaux. Son imperméable — également neuf — était du type qu'on allait bientôt appeler « trench-coat ». Il avait des boutons faits de bandes de cuir entrecroisées, et sa caractéristique la plus marquante résidait dans sa longueur : il était si court que, par temps de pluie, le propriétaire ne tardait pas à être trempé jusqu'aux genoux.

Robert se tenait un peu à l'écart et regardait la locomotive de dessous la marquise de la gare. Il regardait le chauffeur nourrir le feu de bruyantes pelletées de charbon. Il regardait, les mains dans les poches, les épaules voûtées, la pointe de ses chaussures pressée contre la valise. À l'école, on lui avait enseigné que de se tenir les épaules voûtées était indigne d'un homme bien élevé ; il n'en conserva pas moins cette position, tandis que la locomotive se mettait à mugir et à siffler. De grands jets de vapeur enrubannaient les roues. Le *cheval de feu* ainsi que l'appelaient les Indiens. Robert jeta un coup d'œil oblique par-dessous la visière de sa casquette, espérant que personne ne l'avait vu reculer devant la vapeur ni s'écarter du feu. Il se réjouissait que les autres s'en allaient. Ses épaules le faisaient souffrir. Il avait les bras endoloris. Son dos était contusionné. Il avait mal. Il voulait que tous ceux qui étaient descendus du train quittent la gare avant lui. Ils devaient être trois douzaines — quarante ou cinquante hommes — à voyager ensemble depuis Toronto — dont certains venaient d'aussi loin que de Winnipeg et de Saskatoon. La plupart d'entre eux n'avaient cessé d'arpenter les wagons d'un air conquérant — fumant des cigarettes et buvant au goulot de gourdes d'argent. Robert les avait évités durant tout le voyage, soucieux de préserver ce qui lui restait d'intimité. Maintenant, ils s'en allaient par groupes de trois ou quatre — dans un tumulte de railleries et de bousculades, de chansons, d'apostrophes et de boules de neige.

Robert regarda dans l'autre direction, où il vit trois femmes. Deux étaient jeunes et souriantes. La troisième était plus âgée et portait un bonnet et un uniforme d'infirmière. Les cadettes avaient des manteaux bleu marine, et l'une d'elles le regardait. Robert se détourna, ennuyé et confus. Les filles le mettaient mal à l'aise, du moins en ce moment : il se méfiait d'elles et se demandait pourquoi il fallait qu'elles vous regardent et vous fassent penser que vous les désirez. Il y avait quelques semaines seulement qu'il s'était rendu compte qu'il n'était pas amoureux de Heather Lawson. Heather s'était comportée de façon tellement inexplicable. Quel but les femmes poursuivaient-elles avec les hommes ? Lors d'une soirée — dans sa maison à lui —, elle lui avait annoncé que quelqu'un d'autre était amoureux d'elle. Cette nouvelle ne l'avait pas troublé. En quoi le fait que quelqu'un d'autre fût amoureux d'elle le concernait-il ? Mais Heather Lawson voulait le voir troublé. « D'accord, avait-il dit. De qui est-ce qu'il s'agit ? Si je le sais, peut-être que cela me fera quelque chose. » Il avait souri. « C'est Tom Bryant, avait répondu Heather, et je pense que vous devriez vous battre avec lui. » Robert n'avait pas compris. *Bryant ?* Qui était-ce ? Est-ce que Heather l'aimait ? « Non, bien sûr que non, avait-elle affirmé. — Dans ce cas, pourquoi est-ce que je devrais me battre avec lui ? — Mais parce qu'il *m'aime* », avait-elle répondu. Elle avait parlé comme si Robert était idiot. Pour elle, le raisonnement était limpide ; mais Robert le trouvait stupide et le lui avait dit. Aussitôt, Heather s'était mise à gémir. À gémir, à pleurer et à blêmir. Puis elle s'était évanouie. En bref, elle avait fait « une scène » d'un genre alors très familier dans les romans de Booth Tarkington. Les invités de Robert étaient tous partis. L'affaire avait même entraîné pour ses parents certaines complications d'ordre social, et

Heather avait déclaré que jamais, au grand jamais, elle ne tolérerait qu'il reparût devant ses yeux. Tout cela parce que Robert refusait de se battre avec un homme dont elle n'était pas amoureuse et qu'il ne connaissait même pas.

La matrone claqua des doigts pour héler une voiture. Lorsque leurs bagages eurent été hissés sur le toit, les deux jeunes filles s'approchèrent de la porte. L'une d'elles entra sans jeter un coup d'œil en arrière, tandis que l'autre — un instant seulement — se retourna pour regarder dans la direction de Robert. Il était beau — sans aucun doute —, quand bien même ses oreilles étaient légèrement décollées et sa mâchoire un peu carrée à une époque où la mode était aux traits pointus. Dans la façon dont il se tenait à l'écart, quelque chose l'attirait. Mais la matrone l'attrapa par le bras et la tira à l'intérieur, où elle tomba comme une poupée cependant que la voiture démarrait. Elle jeta un dernier regard en arrière — comme pour dire « au revoir » — et disparut.

Vingt minutes plus tard, Robert était toujours là — il n'avait pas bougé. Il se tenait même si résolument immobile que le chef de gare vint lui demander s'il n'avait pas manqué son train. Robert répondit que non — tout allait bien. S'il y avait un autre taxi, il le prendrait. Mais le chef de gare expliqua qu'il n'y en avait pas. Autrefois, ils étaient en nombre suffisant, mais, aujourd'hui, il n'y en avait jamais assez, avec tout ce va-et-vient à toutes les heures du jour et tous les jours de la semaine. La semaine! Ça ne signifiait plus rien. Même les jours saints, les jours d'abstinence et de repos, comme le dimanche ou Pâques, les trains continuaient de circuler et les gens de s'y entasser en riant, comme si le monde n'allait jamais finir.

« J'imagine que vous êtes descendu ici comme tous les autres, pour rejoindre l'artillerie de campagne, hein ? demanda-t-il.

— Oui, répondit Robert.

— Dans ce cas, je vous souhaite bonne chance, jeune homme. À voir les préparatifs qu'ils font, j'ai l'impression que la guerre n'est pas près de finir.

— Vous avez sans doute raison », acquiesça Robert.

Sur quoi le chef de gare s'éloigna lentement pour retourner à ses affaires et à la chaleur du bureau télégraphique, où Robert le vit bientôt discuter avec l'opérateur — le pouce pointé dans sa direction —, expliquant sans doute : « Il y a là un drôle de gaillard, qui n'a pas l'air pressé de partir... »

Robert prit sa valise et s'en alla. Ses épaules le faisaient souffrir. Chaque mouvement des bras éveillait la douleur que lui occasionnaient ses contusions. Devant la gare, le sol était détrempé. Un vieux chien blanc errait à proximité de l'entrée. Depuis que Robert attendait, la neige avait tourné en pluie. En ville, les cloches se mirent à sonner. Robert regarda ses bottines et évalua la largeur de la flaque qui bordait le trottoir. Le visage impassible, il contempla un instant son reflet que, dans l'eau, venait sans cesse troubler la pluie. Il remonta son col et tira la visière de sa casquette droit sur l'arête de son nez. Il ferma les yeux et prit une profonde aspiration. Peu à peu, la neige fondante se transforma en brume, et la brume s'emplit de lapins, de Rowena, de son père et de sa mère, de toute sa vie passée — naissance, mort et enfance. Il pouvait les aspirer et les expirer.

À l'ultime seconde — entendant approcher un train qui aurait pu le ramener chez lui —, il ne sut plus dans quelle direction il irait : s'il continuerait vers la flaque et la ville, ou s'il reviendrait sur ses pas pour rejoindre le quai. Perdu et crotté, le chien s'assit près de lui et se mit à le regarder. Peut-être attendait-il ce qu'allait faire Robert pour prendre lui-même une décision. À nouveau, Robert ferma les yeux, et c'est alors qu'il fit son choix. Il descendit du trottoir et se planta au milieu de la flaque.

Comment bouger ?

On avait enterré Rowena la veille.

5

Elle est tombée. C'était dimanche.

Stuart était censé la surveiller — c'était donc la faute de Stuart. Mais non, ce n'était pas la faute de Stuart. C'était la faute de Robert. Robert était son gardien, et il était enfermé dans sa chambre à coucher. À faire l'amour avec ses oreillers.

Mon Dieu.

Elle est tombée.

C'était dimanche.

Robert n'était pas là.

6

Elle mourut le lundi, sans avoir repris connaissance. Mrs. Ross mit un grand chapeau noir, et Robert un brassard. Des gens qui ne les connaissaient que de loin les virent descendre la rue et pensèrent qu'ils devaient avoir perdu à la guerre un être qu'ils aimaient.

Mr. et Mrs. Ross s'abîmèrent dans le silence. Ils aimaient leurs enfants — tous. Cependant, c'était quelque chose à quoi ils étaient préparés. D'enfants comme Rowena, on ne peut attendre qu'ils vivent. Le miracle était seulement qu'elle eût vécu aussi longtemps. Les hydrocéphales ont une espérance de vie de dix à quinze ans tout au plus. Rowena leur avait donné dix années de grâce.

Pourquoi était-elle tombée?

Je ne sais pas, avait dit Stuart.

Pourquoi ne la surveillais-tu pas?

Je jouais avec Meggy (la taquinant — faisant tournoyer la batte du base-ball au-dessus de sa tête pour la voir coucher les oreilles).

Est-ce que Rowena ne t'a pas appelé à l'aide?

Non.

Et cætera.

Rien à espérer de ce genre d'interrogatoire. Rien à espérer de quelque genre d'interrogatoire que ce soit. Ce qui comptait, c'est qu'elle était morte.

C'était arrivé dans l'écurie, où elle était allée avec Stuart nourrir ses lapins et jouer avec eux. Stuart l'avait consciencieusement poussée dans la neige, à travers les flaques d'eau et la boue, puis, passé le petit tas de fumier, par la porte à double battant sur la dalle de ciment toute neuve, que l'on avait coulée deux semaines plus tôt de façon que le runabout Reo pût partager l'écurie avec Meg et avec les lapins. Les lapins étaient placés dans des cages, alignées sur le même côté — des cages construites spécialement pour Rowena de sorte qu'elle puisse les atteindre sans bouger de sa chaise. Il y en avait dix. Robert les avait fabriquées trois ans auparavant à la fin des vacances d'été. À l'époque, le sol était de terre battue, et l'endroit sentait bon l'avoine, le foin et le crottin de poney. Porte grande ouverte, Rowena prenait les lapins un par un et les tenait sur ses genoux. Cependant, Robert faisait sa gymnastique dans la cour, où elle pouvait le voir. Haltères, barre fixe, boxe. Sa spécialité était la course de fond, mais il faisait ses exercices pour se maintenir en forme. Son héros était le grand Tom Longboat, vainqueur du marathon. Sa gymnastique terminée, Rowena et lui sortaient les lapins sur la pelouse et les laissaient manger de l'herbe.

Pourquoi était-elle tombée ?

Je n'en sais rien, avait dit Stuart.

Tu ne la surveillais pas ?

Je jouais avec Meggy.

Tout le monde avait le dos tourné.

« Robert ?

— Oui, Rowena ?

— Est-ce que tu resteras toujours avec moi ?

— Oui, Rowena.

— Et les lapins, est-ce que ça peut durer toujours ?

— Oui, Rowena. »

Toujours — c'était cela. Maintenant, il fallait tuer les lapins.

7

«Pourquoi est-ce qu'il faut tuer les lapins ?

— Parce que c'était les siens.

— Mais ça n'a pas de sens.

— Il faut pourtant les tuer.

— Je m'en occuperai.

— Ne sois pas ridicule, Robert. Tu es un homme, maintenant.

— Est-ce qu'on ne pourrait pas les donner ?

— À qui ? Dix lapins ? Tu n'y songes pas !

— Et Stuart, pourquoi est-ce qu'il ne s'en occuperait pas ?

— À t'entendre, on dirait que tu ne le connais pas.

— Laissez-moi m'occuper d'eux. JE VOUS EN PRIE !

— Robert — ne fais pas l'enfant.»

Silence.

«Et qui va les tuer ?

— Toi.»

Robert ne répliqua pas. Il laissa sa mère devant les larges fenêtres où les fougères exhalaient la senteur de l'été. Lorsqu'il fut parti, elle regarda la pièce autour d'elle et soupira. De là où elle était, le chemin lui paraissait si long, si long, jusqu'à l'autre bout... de toute chose.

8

Mrs. Ross se retira dans sa chambre.

Mr. Ross monta et frappa à la porte.

Non, dit-elle.

9

Pour le reste, tout se passa le même jour. Le jeudi.

Rowena fut enterrée le matin. Sous les arbres, dans la terre gelée, qu'il fallut fendre à coups de hache. Tout le temps que dura le panégyrique du ministre, tout le temps que durèrent les prières, il ne cessa de neiger. Lorsque le moment fut venu de jeter les fleurs dans la fosse, le cercueil était blanc. Robert regarda sa mère. Elle avait les lèvres serrées. Elle se tenait à l'écart, refusant qu'on la touche ou qu'on la soutienne. Miss Davenport était la seule qui pleurât. Son chapeau était de travers. Mr. Ross garda les yeux fermés durant tout le service.

Le dernier soupirant de Peggy était en uniforme. Il se tenait au garde-à-vous. Robert l'envia: une fois tout cela terminé, il pourrait partir et s'entourer d'espace. (Peut-être est-ce à ce moment-là que, pour la première fois, l'idée le traversa qu'il était temps pour lui de rejoindre l'armée. Mais il n'y pensa pas consciemment.) Tout ce qu'il savait, c'est que ses mains étaient vides. Le dossier du fauteuil de Rowena leur manquait. De retour à la maison, il le monta dans sa chambre et s'y pelotonna, les genoux sous le menton, jusqu'à ce que les visiteurs eussent quitté le salon et que la pendule sonnât deux heures.

En bas, sa famille s'était installée à la table de la salle à manger et l'attendait. La conversation tournait autour des lapins. Robert l'entendait vaguement à travers le plancher. Sa mère était inflexible. Il fallait que les lapins meurent — et c'était à Robert de s'en occuper. Mr. Ross était prêt à se montrer plus indulgent. Sans doute pourrait-on les tuer ailleurs. Pourquoi ne pas les donner au boucher? Non, trancha la mère de Robert. *Ça doit se passer ici et c'est à lui de le faire.*

«Pourquoi?

— PARCE QU'IL L'AIMAIT.»

Une chaise tomba.

Bruits de pas.

Maintenant, sa mère était certainement dans sa chambre et buvait. Mais personne n'en parlerait.

Il y eut ensuite un coup de téléphone avec un certain Teddy Budge (inconnu de Robert, toujours en pardessus dans le fauteuil de Rowena). Il devait être environ trois heures. Teddy Budge était un grand gaillard borné, qui travaillait à l'usine. Il n'y avait rien dans sa nature de méchant ni de cruel — ce n'était pas là le problème. Simplement, il ferait ce qu'on lui demandait. Par ailleurs, il était très fort et pouvait soulever une pierre aussi grosse que le lui permettaient ses bras, ce que Robert l'avait vu faire un jour, lors d'un concours organisé pour l'anniversaire de la reine Victoria. Mr. Ross raccrocha — et alla jusqu'à envoyer le runabout Reo (conduit par le soupirant de Peggy) à l'usine pour ramener Teddy Budge à la maison de South Drive.

Robert entendit la voiture partir — et revenir un bon moment plus tard. Elle s'arrêta dans l'allée, cependant que Mr. Ross sortait de la maison et grimpait sur le marchepied pour parler avec Teddy Budge, assis à l'intérieur dans ses vêtements de travail, la tête haute, comme s'il avait été le roi. Il descendit alors du véhicule et se dirigea vers les écuries. Robert vit tout cela de sa fenêtre.

Il lui fallut trente secondes pour s'arracher à sa peine et comprendre pourquoi Teddy Budge était là. Il bondit hors du fauteuil et dévala l'escalier. Il n'avait pas pris la peine de réfléchir. Il savait.

Stuart se précipita après lui.

Peggy dit : « Pourquoi est-ce que tout le monde court ? »

Mr. Ross rentrait, et Robert l'écarta violemment, au risque de le faire tomber, au moment de franchir la porte de derrière.

Robert glissa et dérapa dans la neige boueuse. Il s'affala contre l'aile de la voiture, et ses yeux tombèrent sur le soldat qui attendait là, allumant une cigarette — et Robert lui cria quelque chose du genre : « Salaud ! Espèce de salaud ! À quoi ça sert les soldats ? » Cependant, déjà son regard s'était arrêté sur la porte ouverte de l'écurie et l'énorme dos néanderthalien de Teddy Budge.

Robert se remit sur pied et fonça, tête en avant comme un bélier, pour frapper le géant entre les omoplates. Teddy comprit seulement qu'on l'attaquait. Il ne pouvait savoir qui ni pourquoi. Sa réaction fut immédiate, et parfaitement compréhensible étant donné les circonstances. Il leva la tête et saisit le premier objet qui se présenta à sa vue : l'un des haltères de Robert. Avec quoi, il se mit à frapper aveuglément sur la silhouette en pardessus, dont il ne pouvait pas voir le visage.

Voilà. Le soldat, le père et le frère s'entremirent pour empêcher le meurtre. Ils portèrent — ou plutôt traînèrent — Robert à la maison, où, sur le seuil, le père se retourna pour faire signe à l'homme resté dans l'écurie de poursuivre le travail pour lequel on l'avait appelé.

Les acteurs de cette scène obéissaient tous à cette forme de fatalité qu'on appelle « vengeance ». Parce qu'une jeune fille était morte — et que ses lapins lui avaient survécu.

10

Ce soir-là, Robert s'enduisit tant bien que mal le dos avec de l'huile d'eucalyptus et se plongea dans un bain d'eau bouillante dans l'espoir de calmer les douleurs que lui causaient ses contusions. Sa mère frappa à la porte de la salle de bains, et, avant même qu'il n'ait eu le temps de demander : « Qui est là ? », elle entra et referma la porte derrière elle.

La pièce était pleine de buée. Mrs. Ross portait une robe opale et un long collier de perles noires. D'un côté, ses cheveux étaient défaits et tombaient en boucles lâches sur sa joue. De l'autre, ils étaient parfaitement coiffés. Elle fumait une cigarette et tenait un verre vide. Un moment, elle resta debout, les bras étroitement serrés contre son corps, comme si elle craignait que Robert ne lui arrachât ses biens. Peut-être que la cigarette et le verre constituaient pour elle la preuve tangible de son existence. Robert la regardait, les coudes appuyés sur le rebord de la baignoire. On n'entendait rien d'autre que le goutte à goutte des robinets et le flac d'une débarbouillette glissant dans l'eau comme quelque créature marine brusquement effrayée.

Mrs. Ross rabattit le siège du cabinet et s'assit. Prenant le lavabo pour cendrier, elle fit délicatement tomber sur le bord la cendre de sa cigarette et la regarda dévaler la pente de porcelaine comme un alpiniste roulant vers la mort. Elle frissonna.

Robert détourna les yeux. Ses pensées — qui, tout à l'heure, lui paraissaient si cohérentes et si sages — commençaient à se brouiller. Il sentait sa tête se vider.

Mrs. Ross dit: «Est-ce qu'il t'a fait très mal?»

Robert: «Non.

— Tu as un bleu tellement impressionnant juste au-dessus des omoplates, poursuivit-elle dans un sourire. On dirait que tu es allé à la mer et que tu t'es fait tatouer.

— Oui. Je me suis vu dans la glace.

— Est-ce que... Est-ce que je peux t'aider?

— Non.» Un temps. «Merci.»

Mrs. Ross précipita une nouvelle cendre dans l'abîme.

«Un jour, dit-elle, quand tu étais petit ...»

Robert ferma les yeux. Il détestait la façon dont elle se servait de son enfance — de l'enfance de tout le monde — comme d'une arme.

«Tu es tombé. En patinant.

— Je tombais tout le temps.

— Oui. Mais cette fois c'était en patinant. Tu t'étais mis dans un état!... Tes coudes et tes genoux avaient enflé — pire qu'oncle Harry avec sa goutte!» Elle rit. «Et tes bras, tes cuisses, tes fesses étaient couverts d'ecchymoses. Noires, bleues, jaunes. Un vrai sauvage peint pour la guerre. Comme on avait peur, tous — à chaque fois que tu tombais...

— Oui.»

Brusquement, Mrs. Ross rejeta la tête en arrière et se mit à rire. Robert la regarda pour essayer de comprendre. Elle riait, riait, riait. Elle en avait les larmes aux yeux. Elle riait tant qu'elle lâcha sa cigarette et dut se pencher pour la ramasser. Cependant, son rire n'était pas hystérique, comme Robert l'avait craint. Il attendait qu'elle se calmât — et, finalement, elle expliqua.

«Si tu t'étais vu! Avec ces sacrés patins! Tu étais un enfant si *sérieux*. Tellement *appliqué* dans tout ce que tu faisais.» Rire. «Platch! platch! platch! Tu remontais l'allée. Je ne sais pas d'où tu venais, mais tu marchais sur les chevilles. Les pieds à angle droit, avec ces sacrés patins! Et tu tenais à la main cet énorme bâton de hockey. Tu portais un chandail — Dieu sait d'où il sortait —, mais il était deux fois trop grand pour toi; les manches pendaient et te faisaient des bras de singe; il te descendait jusqu'aux genoux! Tu avais cinq ans. Ta tuque était tombée et tu avais les cheveux dressés sur la tête.»

Elle posa son verre vide par terre et remit un peu d'ordre dans sa tenue, utilisant du papier hygiénique pour s'essuyer les yeux. Après quoi, elle soupira et croisa les jambes, l'air dégagé, comme si ç'avait toujours été son habitude d'assister au bain de son fils.

« Tu avais dû faire une longue, longue traite, reprit-elle, ce jour-là. Tu avais l'air si résolu. Sur le côté, tes chaussures étaient tout usées. Tu te souviens ? J'entends encore le bruit de tes patins raclant les marches du perron — le bruit de quelqu'un aiguisant un couteau. » Elle ferma les yeux à demi. « Ça ne t'a pas empêché de continuer — plus tard, tu es devenu capitaine de l'équipe. »

Robert remua les jambes, et l'eau battit les flancs de la baignoire. Sa mère l'observait. Toute trace de rire avait quitté ses yeux. Si Robert l'avait vue, l'expression de son visage l'eût peut-être effrayé. Mais c'est généralement lorsque personne ne les regarde que les gens se ressemblent le plus. Elle avait les lèvres étirées. Sa bouche était sèche. Ses paupières s'étaient comme affaissées. Elle regardait son fils avec une concentration sibylline à travers les volutes de fumée qui montaient de sa cigarette.

« C'est drôle, dit-elle. La plupart des gens tombent et rien n'arrive. D'autres se marquent comme des pommes. Mais, pour la plupart des gens — rien.

— Oui. »

Et certains meurent.

Après un long, long silence, Mrs. Ross jeta sa cigarette, puis, de la pointe de sa chaussure, l'écrasa et la broya avec tant d'acharnement qu'il ne resta bientôt plus du mégot qu'une visqueuse bouillie de papier. Un moment, elle contempla son œuvre, et, sans lever les yeux, d'une voix dépersonnalisée de somnambule, elle dit :

« Tu crois que Rowena t'appartenait. Mais vois-tu, Robert, personne n'appartient à personne. Dès la naissance, on nous isole, on nous détache avec un couteau pour nous laisser à la merci d'étrangers. Tu entends? D'étrangers. Je sais à quoi tu penses. Je sais que tu vas partir et devenir soldat. Bien — pars. Je ne suis pas responsable. Je ne suis, moi aussi, qu'une étrangère. J'ai pu te donner le jour — mais la vie, je ne peux pas te la donner. Je ne peux garder qui que ce soit en vie. Plus maintenant.»

Robert se redressa, glacé.

Mrs. Ross regarda son verre vide. Depuis quand était-il vide? Des heures? Des minutes? Des années? Elle se leva. Elle se rassit. Il n'y avait plus rien à dire. Tous deux s'estompèrent dans la buée. Ce fut la dernière fois qu'ils respirèrent en présence l'un de l'autre. Le lendemain matin, il était parti avant qu'elle ne s'éveillât.

11

C'est ainsi que, le 2 avril 1915, Robert Ross fut reçu dans l'armée. Presque aussitôt on l'envoya rejoindre la 30e batterie d'artillerie de campagne, à l'entraînement à Lethbridge, en Alberta. Il était studieux et appliqué: exact. Il observait avec un certain recul les hommes qui l'entouraient. Certains étaient des camarades d'école. Avec eux, il se montrait poli; mais il trouvait toujours quelque excuse pour les tenir à distance. Pour lors, il ne voulait aucun attachement. Ce qu'il voulait, c'était un modèle. Quelqu'un qui pût lui apprendre, par l'exemple, comment tuer. Jamais Robert n'avait pointé une arme contre quoi que ce soit. Cette disposition d'esprit lui était étrangère. Il cherchait donc quelqu'un qui l'eût acquise, pour qui tuer fût devenu un exercice de la volonté.

Les journées étaient faites de cartes et de chevaux, de manœuvres et de calculs. L'exercice durait de l'aube jusqu'à l'heure du souper — voitures et canons — attelage et harnachement — affûts et emplacements — parades et lignes de tir. C'était très semblable à l'école : l'appel et la cantine. Les farces mêmes étaient pareilles : sacs d'eau et lits en portefeuille. Quiconque avait connu le collège était parfaitement conditionné. Ordres criés, ordres exécutés. L'unique différence : à mesure qu'approchait le brevet, les occasions de répondre aux cris par des cris devenaient plus fréquentes. Robert avait été cadet à St. Andrew's, mais jamais le rôle d'officier ne lui avait plu. Il lui répugnait d'élever la voix. Dire que faire à quelqu'un lui semblait ridicule, de même que s'entendre dire ce qu'il avait à faire le mettait en colère. En conséquence de quoi, à l'exercice, il était porté à rougir fréquemment. Durant un certain temps, on l'appela « Coquelicot ». Et ce fut peut-être là la source de sa popularité. Aussi distant qu'il soit, il est difficile de ne pas aimer quelqu'un qui rougit.

Le soir, Robert allait s'asseoir sur la terrasse, derrière les cuisines de la caserne. Vêtu d'un vieux pantalon de flanelle et d'une chemise blanche au col effiloché, il contemplait la prairie et décidait de la direction qu'il prendrait. Il savait que, s'il montait sur le toit, il pouvait faire un tour complet sur lui-même sans que son regard ne rencontre rien d'autre qu'une lointaine grange et un boqueteau d'arbres sombres. Parfois, il les choisissait pour buts de ses courses ; mais, la plupart du temps, il préférait aller vers l'horizon.

Il mettait ses chaussures à semelles de caoutchouc (pour courir, il ne portait jamais de chaussettes), attachait son cardigan autour des reins, et sortait sans trop se presser. Il n'aimait pas courir à l'intérieur du camp. Cela lui paraissait manquer de dignité — peut-être à l'école avait-il dû trop souvent effectuer au pas de course le tour du bâtiment. Mais il lui en coûtait de marcher. Sans le vouloir, son pas devenait pas de course, et, aussitôt franchie l'entrée de la caserne, il retrouvait d'instinct la longue et rapide foulée qui constituait son allure naturelle. Il tenait les yeux baissés. Jamais il ne regardait le ciel. Il perdait tout sens du temps. La distance était pour lui la seule chose qu'il y eût à gagner.

12

Un soir, Robert courut avec un coyote. Il avait d'abord cru qu'il s'agissait d'un chien ; mais il avait bientôt réalisé que jamais il n'avait vu de chien avec des pattes si longues. Lorsqu'il l'avait aperçu, l'animal trottait devant lui. Il avait la queue basse et les oreilles couchées : il savait donc où il allait. C'était la première fois que Robert voyait une bête aussi maigre. Il se demanda pourquoi elle ne chassait pas, et se dit que peut-être elle se rendait précisément vers un terrain de chasse, quelque vallon ou marais que lui-même n'avait pas encore découvert, où elle savait devoir trouver des écureuils et des lapins. Il se mit à la suivre, décidé à ne pas accélérer le pas aussi longtemps que la distance qui les séparait demeurerait la même. Voyant qu'il ne se pressait pas, Robert conclut que le coyote n'avait pas senti sa présence. Ils coururent ainsi durant près d'une demi-heure.

De temps à autre, le coyote s'écartait de sa route pour faire un pas de danse autour d'un trou ou d'une pierre. Les trous ne semblaient pas l'intéresser. Peut-être les connaissait-il tous et savait-il déjà lesquels étaient ou non susceptibles de lui fournir sa pitance. C'est en tout cas ce que Robert imagina jusqu'au moment où il vit deux gaufres — tour à tour se dressant et plongeant en avant — échanger des sifflements aigus. Le coyote devait les avoir remarqués, lui aussi; pourtant, il ne modifia en rien son allure, et, parvenu à l'endroit où ils se trouvaient quelques instants auparavant, il ne prit même pas la peine de flairer leur terrier. Il continua de trotter, droit vers son objectif.

Cependant, peu après, le coyote passa du trot au petit galop. Robert hâta aussitôt le pas, ce qui ne lui coûta aucun effort. Jusque-là, il avait soutenu un rythme si tranquille et si régulier que ni ses jambes ni ses poumons n'étaient fatigués.

Au moment où l'allure commença de s'accélérer, Robert pensa que le but vers lequel courait le coyote ne devait plus être loin, et il se mit à fouiller la prairie du regard. Mais il ne vit rien de particulier, pas même un tas de cailloux.

Puis, d'un seul coup, le coyote disparut. Évanoui. À peine Robert avait-il eu le temps de ciller, que la bête n'était plus là. Il ralentit, songeant que, sans doute, elle allait reparaître — que, peut-être, la sueur l'aveuglait — que, parfois, un gîte est tellement bien dissimulé qu'on y est avant même de l'avoir vu. Mais rien.

Robert accéléra.

Son cardigan commençait à glisser sur ses hanches. Il l'enleva et noua les manches autour de son cou. Devant lui, comme si brusquement le monde basculait, il vit surgir un bouquet de feuillage. Les branches semblaient jaillir du sol. À ses pieds s'ouvrait un vallon — aussi imprévu qu'une trappe.

Il s'arrêta. Le vallon n'était ni long ni large. Au centre, sa profondeur n'excédait pas cinquante pieds. La découpe abrupte de ses flancs trahissait son origine glaciaire. Les arbres s'étaient groupés comme des conspirateurs tout autour d'un plan d'eau. Sur la berge, le coyote buvait.

On était au mois de juin. Le solstice d'été approchait. Il n'était pas loin de sept heures, mais il faudrait attendre deux heures encore avant que le soleil ne se couche. La chaleur s'était maintenant dissipée, et, de l'eau, montait une fraîcheur qui surprit Robert comme un souffle de vent. Il enfila son cardigan et s'accroupit pour regarder boire le coyote. Il était devant lui, à soixante pieds à peine, et lui tournait le dos. Robert pensa que, quand le coyote aurait fini, il descendrait lui aussi. Peut-être même qu'il se baignerait. Il y avait si longtemps qu'il n'avait pas nagé qu'il ne pouvait se rappeler de façon certaine ni la date ni l'endroit; mais sans doute était-ce l'été précédent, à Jackson's Point. Mr. Ross y avait acquis un cottage une quinzaine d'années plus tôt — une maison de bois peinte en vert, entourée d'une galerie profonde, où suspendre des hamacs, qu'ombrageaient à volonté des stores de bambou. Des cousins s'étaient chargés d'y amener Meg par la route, et tandis qu'elle faisait sans fin le tour de la pelouse, Rowena suppliait qu'on la fît monter, elle aussi...

Robert ferma les yeux, le bruit du coyote lapant l'eau monta jusqu'à lui et parut satisfaire sa propre soif. Il soupira et se mit à caresser rêveusement l'herbe rase de la prairie. Le soleil éclairait son visage. Il le sentait rouge et doré — de même qu'il pouvait sentir que l'herbe était verte. Pour le soleil, son visage était un miroir.

Lorsque le coyote eut bu son content, il fit quelques pas indécis et s'assit brusquement pour se gratter derrière l'oreille. Après quoi, haletant, il se mit à regarder la vallée alentour d'un air satisfait de propriétaire. Il leva le museau et happa un insecte au passage. À nouveau, il se gratta l'oreille, mais cette fois avec la suprême indolence d'un chien engourdi près d'un feu. Il passa une langue prudente sur ses griffes émoussées, entreprit de les lécher soigneusement, et se remit enfin sur pattes pour s'enfoncer sous le couvert des arbres. Il s'était reposé dix minutes.

L'ayant perdu de vue, Robert commençait à croire qu'il gîtait dans le vallon même lorsqu'il le vit réapparaître sur la pente opposée. Parvenu au sommet, il éprouva quelque difficulté à franchir l'extrême bord du versant, et l'effort qu'il lui fallut fournir eut pour effet d'arracher au sol un nuage de poussière. Après s'être ébroué, il se retourna ; et Robert se demanda si, pour une raison ou pour une autre, il n'allait pas rebrousser chemin — peut-être s'était-il trompé en traversant toute la vallée et devait-il maintenant revenir sur ses pas. Mais non. Il s'immobilisa, rejeta la tête en arrière et se mit à hurler. Ensuite de quoi, la queue légèrement baissée, il regarda droit devant lui — droit vers Robert — et aboya. Enfin, sa queue commença de s'agiter. Le coyote savait qu'il était là — peut-être le savait-il depuis le début de leur course à travers la prairie. Il disait maintenant à Robert que la vallée était à lui, qu'il pouvait à son tour descendre vers la rive pour se désaltérer. Il aboya trois fois — annonce de son départ. Puis il se détourna et s'en alla d'un pas léger dans la direction du soleil.

Cette nuit-là, Robert rentra après l'extinction des feux. Comme punition, il dut, pendant quinze jours, rester dans les limites du camp. Chaque soir, il monta sur le toit, et, tandis que le soleil déclinait, il fouillait des yeux la prairie, d'où il espérait entendre jaillir un hurlement ami.

13

C'est à cause des chevaux que Robert fit la connaissance d'Eugene Taffler. Ils se rencontrèrent dans la prairie.

Ce jour-là, Robert avait été affecté à un détachement chargé de ramener des chevaux sauvages qui venaient d'arriver de Calgary. Il s'agissait de mustangs qui — destinés à des officiers servant en France — devaient être réduits un à un dans le courant de la semaine. C'était des chevaux magnifiques, doués d'une formidable vigueur — mais aussi d'un rare esprit d'indépendance. Les ramener de la gare au dépôt était un travail de cow-boys, peu fait pour des garçons dont l'expérience était avant tout une expérience de manège. Ils prirent un chemin détourné — passant par la prairie —, et l'exercice, qui avait débuté le matin à neuf heures, ne se termina qu'après quatre heures de l'après-midi.

Lorsque les chevaux eurent tous été parqués dans le corral, on s'aperçut qu'il en manquait deux. Robert, qui, désormais, connaissait parfaitement la prairie (on était en août), s'offrit à aller voir s'il les retrouverait. Clifford Purchas — un garçon qui avait été avec lui à St. Andrew's — proposa de l'accompagner. Après le souper, ils partirent donc en direction de la grange que Robert avait repérée depuis le toit et qui se trouvait à environ un mille de la caserne.

Chemin faisant, ils se mirent à chanter de vieux hymnes qu'ils avaient appris à l'école. Ils chantaient ces vieux hymnes parce que c'étaient les seuls chants qu'ils connussent l'un et l'autre. Clifford connaissait également une version obscène de *Oh! Susannah!*, qu'il entonna d'une voix haute et claire de ténor, avec ni plus ni moins de ferveur qu'il venait d'en mettre dans le *Jubilate Deo*. Lorsque le chant eut atteint son apothéose charnelle, Robert dit brusquement «Tais-toi!», et il ramena son cheval au pas.

«Qu'est-ce qui se passe? demanda Clifford.

— C'est la question que je me pose», rétorqua Robert avec un signe de tête en direction d'un personnage qui, à cent verges de là, s'amusait à viser à coups de cailloux une rangée de bouteilles alignées sur une planche. Il était torse nu, les bretelles sur le pantalon. Un cheval sellé broutait à quelques pas de lui, cependant qu'un chien le regardait, assis, les oreilles dressées.

Chacune des pierres qu'il lançait frappait une bouteille. Il ne manquait jamais son but.

Tandis que Robert et Clifford observaient la scène, le chien, qui les avait flairés, se mit à aboyer dans leur direction. L'homme leur adressa alors un salut amical et jeta une nouvelle pierre qui brisa une nouvelle bouteille.

Robert dit: «Qui est-ce?»

Clifford: «Voyons, mais c'est Eugene Taffler!»

Robert: «Oh!» Il était subjugué. Taffler passait pour un héros. Il était déjà allé en France, d'où, blessé, il était revenu au Canada. Désormais, il était complètement rétabli, et il s'occupait de chevaux en attendant une nouvelle affectation outre-mer. Par ailleurs, il avait acquis à l'université la réputation d'un athlète complet. Mais c'était avant l'époque de Robert, qui, de ce fait, ne le connaissait que de nom. Cependant, ce nom était bien suffisamment éloquent.

«Tu viens? demanda Clifford.

— Oui», répondit mollement Robert, qui n'en avait aucune envie. La seule pensée de Taffler suffisait à l'intimider. Cependant, il n'était pas possible de l'éviter, car Taffler, étant capitaine, était leur supérieur.

Ils s'approchèrent lentement.

«Vous cherchez des mustangs, non?» leur demanda Taffler. Il mesurait plus de six pieds. Il avait le visage et le torse comme enduits de poussière. Sa bouche, ses yeux et ses pectoraux semblaient avoir été modelés par un artiste peu soucieux d'effacer la trace de ses pouces.

Robert dit:

«Oui, mon capitaine. On les a perdus ce matin, dans les environs.

— Je viens volontiers avec vous, si vous croyez que je peux vous être utile, proposa Taffler.

— Non, non, mon capitaine, répondit Robert. Merci. Désolé de vous avoir dérangé.

— Vous vous demandez ce que je suis en train de faire, non ?» Taffler leur sourit. « Eh bien... » Il laissa traîner la voix tout en regardant les bouteilles, visa et lança une pierre. Elle atteignit son but et la bouteille vola en éclats.

« Voilà, poursuivit-il. Je tue des bouteilles.

— Oh ! fit Robert.

— Il faut bien s'entraîner, non ?

— Et comment ! s'empressa de répondre Clifford. J'ai souvent admiré vos passes, à l'université. C'est bien dommage.

— Dommage, monsieur... ?

— Purchas, mon capitaine.

— Dommage, monsieur Purchas ? Qu'est-ce qui est dommage ?» Il visa et tira encore.

Bang !

« Oh, je ne sais pas... Qu'on ne fasse plus de football... »

Taffler leva les yeux vers le soleil.

« C'est vrai, dit-il. C'est dommage. » Il se tourna pour regarder les cavaliers. « Souvent, entre nos lignes et les leurs, il n'y a pas plus de cent verges. Est-ce que vous le saviez ?

— Non, mon capitaine.

— Cent verges », reprit-il. Il désigna d'un geste la dernière bouteille. Elle était verte, avec un goulot mince et long. « C'est ça, la guerre, poursuivit-il. Un petit David contre un autre. » Puis il tira — et coupa net le long col mince. « Ce n'est pas plus compliqué que ça. Une bande de lanceurs de pierres. »

Robert se demanda si l'amertume qu'il croyait déceler dans sa voix provenait de l'effort qu'il venait de fournir — ou bien si Taffler souhaitait réellement que la guerre le mît aux prises avec Goliath.

Taffler se baissa pour ramasser sa chemise.

« Vous êtes sûrs que je ne peux pas vous aider ?

— Non, mon capitaine. Merci, mon capitaine.

— Parfait. » Il sourit à nouveau. « Le soleil ne se couchera pas avant une heure. Ça me laisse le temps d'aller avec le chien tuer quelques serpents à sonnettes. »

Ce fut la fin de leur conversation. Comme Taffler n'était pas en uniforme, ils n'eurent pas à le saluer. Ils firent simplement demi-tour et s'en allèrent. Robert prit la tête et lança son cheval au galop, tandis que Clifford criait après lui : « Allez ! Allez ! Allez ! », comme s'il poursuivait un renard. Mais Robert galopait si vite que, bientôt, il se retrouva seul. Il jeta un coup d'œil derrière lui et vit que Clifford avait abandonné la course et trottait sans plus se presser — en chantant peut-être *Home on the Range.* C'est alors seulement que Robert ralentit le pas. Taffler n'était plus qu'un point à l'horizon. Anonyme comme un point. Ne posant pas de questions. La distance signifiait la sécurité. L'espace était devenu un refuge.

Une fois les deux mustangs capturés, ils prirent le chemin du retour. Le soleil n'avait pas encore disparu, et déjà la lune brillait. Loin, loin derrière eux, des coyotes hurlaient. Robert marchait toujours en tête. Clifford se demanda tout haut si Taffler était capable de tuer un coyote avec une pierre. Le ciel était vert. Robert ne répondit pas. Il pensait que peut-être il venait de trouver le modèle qu'il cherchait: un homme pour qui tuer ne voulait pas dire tuer, mais seulement tirer. Bang! Une bouteille. Un homme pour qui la guerre n'était rien du moment qu'elle n'était pas plus grande que lui. Bang! Un David. Un homme qui avait fait sa paix avec des pierres.

Le soleil commençait à sombrer. Il était énorme. Clifford voulait s'arrêter pour le contempler. Robert refusa. Il craignait de se retourner et de regarder, mais sans savoir pourquoi. Cela lui paraissait dangereux, c'est tout. Ils continuèrent leur chemin. Clifford se mit à chanter: *«Donnez-moi, oh! donnez-moi un verre d'eau fraîche, rafraîchissez mon front, mais lorsque l'eau fraîche arriva, l'âme s'en était allée, le cow-boy était mort…»* L'horizon était lamé d'or. Quatre chevaux. Deux cavaliers.

14

L'été avait été très sec. Lorsque vint l'automne, la situation se renversa. Il se mit à pleuvoir, à pleuvoir sans cesse. Sur toute l'Amérique du Nord et l'Europe, il plut à torrents de la fin septembre jusqu'à la fin octobre. En novembre, il commença de neiger. Il neigea même en Angleterre, qui n'avait pas vu de neige depuis plusieurs années.

Tout au long de l'automne, les parents de Robert le couvrirent d'écharpes, de chaussettes et de moufles, que, pour la plupart, il donna autour de lui. Ils lui envoyèrent également de la nourriture. Il leur semblait qu'il avait quitté la civilisation pour vivre dans un monde où ni les vêtements ni la cuisine n'existaient. Toutefois, il reçut aussi certains objets utiles — qui auraient pu faire partie de l'équipement, mais que l'armée ne fournissait pas —, comme des compas liquides, des bottes de cheval et des lunettes d'approche. Et Robert lui-même écrivit à son père pour lui demander qu'il lui envoie un pistolet automatique. Sa lettre n'alla pas sans provoquer un certain affolement. « NE VOUS DONNE-T-ON MÊME PAS D'ARME ? » lui télégraphia aussitôt son père. « SEULEMENT DES CANONS », lui répondit Robert.

Pour ceux qui, parmi vous, n'ayant pas connu cette époque ni rien lu à son sujet, s'étonnent que Robert ait eu à demander une arme personnelle, précisons qu'il s'agissait ici d'une « armée populaire », et non pas d'une armée de professionnels. Les officiers fournissaient eux-mêmes leur uniforme, voire leur cheval lorsqu'ils le désiraient. Les citoyens fortunés levaient leurs propres régiments et les équipaient à leurs frais. Il était encore possible d'acheter un brevet, et même les simples soldats n'avaient d'autres chaussettes que celles qu'ils recevaient de la maison. En tous les cas, ce pistolet fit l'objet d'une abondante correspondance. Fallait-il choisir un webley ou un colt, un browning ou un savage ? Son histoire, comme celle du savon de Leopold Bloom, constitue à elle seule une véritable odyssée.

Il ne nous reste plus maintenant qu'à rapporter un dernier incident concernant le séjour de Robert dans la prairie — l'épisode des filles de Lousetown.

15

Lousetown était un hameau situé à douze milles au nord de Lethbridge — «douze milles plus haut», comme disaient certains. Il serait injuste de révéler ici son véritable nom, car depuis, l'endroit est devenu un centre agricole tout à fait respectable. À l'époque, ce n'était toutefois qu'un petit groupe de maisons — en tout, sept — plantées au milieu de nulle part. La route se résumait à une double ornière. Les maisons étaient construites en bois, et, depuis lors, elles ont été brûlées. La seule qui reste est un bazar, que tenait alors un certain Oscar Dreyfus. Mais le nom de Dreyfus avait pris une telle résonance que l'enseigne de son magasin annonçait simplement: «OSCAR — COMPTOIR». Et bien sûr, il se trouvait des gens pour appeler ainsi le propriétaire. «Bonjour, monsieur Comptoir! disaient-ils en riant. Comment va madame Comptoir?» *Madame Comptoir* était la tenancière de l'établissement d'à côté, un bordel qu'elle avait baptisé *L'Assommoir.* Elle s'appelait Maria — mais elle aimait beaucoup le nom de Dreyfus. Elle savait lire — elle avait lu Zola, elle avait lu *«J'accuse!»*. Son nom était quelque chose dont elle était très fière. Cependant, les gens tenaient à celui de «Comptoir», et, comme la décharge publique était située juste derrière chez elle, ils trouvaient plaisant d'avoir côte à côte le COMPTOIR, l'ASSOMMOIR et le DÉPOTOIR. *L'Assommoir* était de loin la maison la plus fréquentée de Lousetown.

Sans contrainte, jamais Robert ne s'y serait rendu; sa

raison et sa timidité l'en auraient empêché. Cependant, la « contrainte » à laquelle il se trouva soumis était un peu simplette : si vous n'y alliez pas, vous étiez suspect, voilà tout. La caserne et le collège ne laissent à l'individu que peu de liberté lorsqu'il s'agit du sexe. Soit vous « pratiquez », soit vous « ne pratiquez pas », auquel cas vous êtes confronté à une forme d'ostracisme que la plupart des hommes préfèrent éviter.

Il n'empêche que sa raison disait à Robert qu'il allait au-devant d'un échec.

Ils s'embarquèrent un vendredi soir, dans une Chevrolet. Il pleuvait, et les roues de la voiture s'enlisaient sans cesse dans les ornières du chemin. En conséquence de quoi, lorsqu'ils arrivèrent à destination, ils étaient couverts de boue des pieds à la tête — Clifford Purchas, Roddy Taylor-Bennett, Robert, et un dénommé Gas, qui apparemment était un civil. Clifford et lui chantèrent durant tout le trajet, cependant que Roddy Taylor-Bennett vidait une bouteille de sherry. L'intérieur de la Chevrolet empestait la cigarette et l'eau de Floride. Clifford l'appelait « leur bordel roulant ».

Les fenêtres de *L'Assommoir* étaient éclairées en bleu — bleu pour les officiers, rouge pour les soldats (un jour, un plaisantin avait mis, en signe de quarantaine, une lumière jaune à l'une des fenêtres de la maison d'en face, qui grouillait de morpions). Robert sortit le premier. La pluie sentait bon. Roddy Taylor-Bennett lui tendit la bouteille. « Finis », dit-il. Et Robert, qui, pour une fois, avait envie de se soûler, la vida jusqu'à la dernière goutte. Jamais encore il n'avait été ivre — et l'odeur de l'alcool lui rappela la chambre de sa mère.

La route qui traversait Lousetown se perdait dans l'herbe derrière la décharge publique. Ce n'était pas le genre de rue qui invitait à la flânerie, même par beau temps. D'ailleurs, elle était déserte. Personne pour les accueillir, sauf une bande de chiens. Des chiens et un cheval.

Le cheval était attaché à un poteau devant la porte de *L'Assommoir*. En le regardant, Robert aperçut sous son ventre une forme indistincte. Une fois sur la galerie de bois, il se retourna pour regarder encore, tout en se demandant ce qui pouvait bien le troubler dans la juxtaposition de cette forme et du cheval. Puis, comme il cherchait un endroit où déposer la bouteille vide, il comprit d'un seul coup. Taffler. La forme n'était autre que le chien de Taffler. Il savait maintenant où laisser la bouteille. Il la posa à côté du poteau, et mit une pierre sur le goulot.

16

À la porte de *L'Assommoir*, vous étiez accueilli par une sorte de colosse muet, qui passait pour être suédois. Ses cheveux avaient cette qualité de blond qu'on voit généralement aux albinos, et ses yeux étaient couleur d'acier. Il avait tué trois personnes. Une négresse vous débarrassait de votre pardessus, et vous donnait du « Capitaine » quel que soit votre grade. Après quoi, vous vous retrouviez dans le hall d'entrée sans plus savoir que faire.

Il y avait une cage d'escalier avec, sur le palier, une fougère en pot. Sur le mur opposé à l'entrée, des peintures d'odalisques alternaient avec des miroirs, de sorte qu'avant toute chose vous voyiez votre propre image dans un entremêlement de bras roses et de seins ivoirins. Et la senteur douceâtre des parfums se mélangeait à l'odeur du fumier qui collait à vos bottes.

Robert attendait, les mains derrière le dos. Ce n'était pas du tout ce qu'il avait imaginé. Il avait cru que, dès l'entrée, il serait entouré d'une horde de femmes nues, baignant dans un nuage d'opium. Ce n'était pas cela du tout. C'était même plutôt discret. Cependant, Maria Dreyfus apparut bientôt dans le hall, venant d'une pièce que cachait une porte à double glissière. Maria était allemande. Elle était petite — avec des cheveux d'un cuivre éclatant, aussi frisés que ceux de la Méduse, et elle était vêtue d'une robe noire. Elle ne s'excusa pas davantage d'être allemande qu'elle ne s'excusa d'être juive. Elle tendit la main et dit : « Ponne zoir ». Personne ne rit de son accent. Sa présence et son attitude en ôtaient toute envie. Elle les fit entrer dans la pièce qu'elle venait de quitter, et referma la porte.

Dans la pièce, il y avait sept filles et deux hommes. Ces derniers étaient sans doute des cow-boys, ou des cheminots, ou encore des fils de fermiers. En tout cas, ils ne faisaient pas partie de l'armée. Robert n'aurait pas su dire s'ils avaient « fini » ou si, au contraire, ils « commençaient ». Il n'avait pas la moindre idée de la façon dont les choses se passaient. Ni, apparemment, aucun de ceux avec qui il était venu, à l'exception peut-être de M. Gas, qui semblait connaître l'une des femmes.

Les femmes (ou filles : en fait, elles étaient l'une et l'autre) lui parurent tout d'abord habillées comme des actrices sur une scène. Elles portaient des couleurs voyantes, aux contrastes criards: chartreuse et noir, orange et bleu. Ce n'est que lorsque ses yeux furent accoutumés à la lumière dorée des lampes qu'il se rendit compte que leurs robes étaient à moitié transparentes, et que les ombres qu'il croyait voir étaient en réalité des poils et des pointes de seins rougies au henné.

Des bouteilles de scotch étaient disposées sur un plateau d'argent. M. Gas s'approcha pour se verser à boire. Robert l'imita. Après quoi, tous les hommes se groupèrent autour du plateau de scotch. Les femmes attendaient, discrètement assises. Elles souriaient. Enfin, Maria Dreyfus comprit qu'on se trouvait dans une impasse, et fit le tour de la pièce en houspillant les filles: «Allons! Depout! Depout! Mélanchez-fous!» Elle mit un disque sur le gramophone et le fit jouer.

Une fille, dont les cheveux rouge-orange étaient empilés au sommet de la tête, traversa la pièce en direction de Robert. Ses épaules étaient des os nus, et ses paupières étaient peintes en noir. Elle portait une robe violette, ouverte sur le devant. Elle semblait un pubis mouvant.

«Vous guinchez? demanda-t-elle à Robert dans un souffle parfumé de girofle.

— Je quoi?

— Vous *dansez*?

— Je ne crois pas que je sache», répondit Robert. Il se méfiait des rousses. Heather Lawson elle-même avait les cheveux roux.

«Ça ne fait rien, dit la fille à l'haleine de girofle. Je vais vous montrer.» Elle ajouta qu'elle s'appelait Ella.

Elle pressa son pubis contre l'aine de Robert et lui passa le bras autour du cou. Il était pétrifié.

Robert commença à trébucher au son de la musique — c'était « de la musique de nègres », comme on disait alors — pleine de cris, de martèlements de piano et de hurlements de trompette. Les danseurs, tournant et tournant dans la pièce, la chaleur du poêle ronflant dans un coin, et le manque d'air, et le goût âpre du scotch firent bientôt leur effet — un effet étourdissant. Jamais de sa vie Robert ne s'était senti aussi loin du sol.

La danse, pubis contre pubis, avait un petit côté parade militaire, empesé et saugrenu, avec sa bande de partenaires tournant, tournant et tournant encore, étroitement enlacés, dos droits et jambes raides. Tournant, tournoyant et tournoyant, jusqu'à ce que Clifford Purchas tombât ivre sur le tapis. Personne n'y prêta la moindre attention. Tout le monde continua de danser. Clifford étendu sur le dos — les yeux grands ouverts, le regard extatique. « Je vois tout, disait-il lorsqu'une femme l'enjambait. Bon Dieu ! je vois tout ! Je vois tout !!! »

Maria Dreyfus finit par penser qu'il était resté couché là suffisamment longtemps. Elle frappa dans les mains pour appeler le muet, qui le chargea aussitôt sur son dos. Tandis qu'ils montaient l'escalier, Clifford, tête en bas, se mit à fouiller dans le décolleté de la femme qui les suivait. Tout le monde applaudit.

La musique s'arrêta.

Robert était planté avec Ella au milieu de la pièce. M. Gas, ayant fixé son choix, fit un signe de tête à l'intention de Maria. Celle-ci acquiesça, et, comme il passait près d'elle avec la fille, elle lui pinça le bras et dit : « Plaisir. Plaisir. » Puis, se tournant vers les autres, elle sourit. Chacun semblait heureux. Roddy Taylor-Bennett prit à son tour la direction de l'escalier, emmenant avec lui une grande fille noire avec des trous aux talons de ses bas.

Robert regarda Ella. Elle sourit.

Les cow-boys étaient assis, l'un avec une fille sur les genoux. Robert le regarda glisser une main sous sa robe pour caresser ses seins. Ses seins, il pouvait même les voir — et il vit leur pointe se durcir sous les gros doigts calleux.

La crainte envahit Robert. Il avait vraiment peur. Il pensait qu'ils allaient « faire ça » — assis là dans le fauteuil, les jambes de la fille encerclant les reins du cow-boy, devant tout le monde. Il regarda Maria Dreyfus pour voir si elle allait les arrêter, mais Maria se versait un verre et tournait le dos à la pièce. Dans la panique de Robert, entrait sa peur de ce que ses propres mains allaient faire. Il les sentait irrésistiblement attirées vers son aine et devait lutter pour les retenir de bouger.

Ella l'observait.

Robert déglutit.

« Vous n'auriez pas un clou de girofle ? lui demanda-t-il.

— Bien sûr », dit-elle en lui en tendant un.

Ils montèrent au premier.

17

Robert s'assit au bord du lit, les mains jointes sur les genoux. Ella regardait dans la glace, ne sachant trop que faire avec cet étrange garçon. Il était si tranquille, tellement silencieux. Il ne la regardait même pas.

« Il n'y a rien de spécial dont vous ayez envie ? demanda-t-elle enfin. Je veux dire... on est ici, alors... » Elle se détourna et s'appuya contre la table de toilette, jouant avec la ceinture de sa robe, en passe de se découvrir.

Robert ne savait que dire. Qu'est-ce qui était « spécial » ?

« Vous comprenez, reprit Ella, c'est pour ça qu'on me paie — pour rendre les gens heureux. Oui ? »

Oui — mais comment ? Robert aurait bien voulu le lui demander, mais il ne voyait pas comment formuler sa question. Rien de ce qu'il avait lu n'envisageait cette situation. À l'école, on parlait de prostituées, bien sûr, mais jamais il n'avait entendu personne dire vraiment *voilà ce qui se passe.* On racontait les aventures les plus extravagantes, mais ce qu'on disait n'avait rien à voir avec la situation actuelle. Rien. C'était des histoires de bains parfumés, de femmes prises, de femmes violées, attachées aux montants du lit. Mais personne ne semblait s'être jamais trouvé dans une chambre aux murs recouverts de papier lilas — à personne on n'avait jamais demandé s'il n'y avait « rien de spécial » dont il eût envie.

« Vous n'avez pas envie de me toucher ? » demanda Ella.

Oui, pensa Robert. Et non. Il avait un problème, quelque chose dont il ne pouvait discuter.

« Vous êtes le type le plus sérieux que j'aie jamais rencontré, poursuivit Ella. De ma vie, je n'ai jamais rencontré un type qui ne *dise* rien. Sauf le Suédois, bien sûr. Mais lui, les Indiens lui ont coupé la langue. » Elle s'assit à côté de lui et le prit par le cou. Elle souriait. « Vous, vous avez une langue, non ? » Elle passa un doigt sur ses lèvres. « Vous êtes mignon, et tout. Pourquoi est-ce que vous ne me laisseriez pas… ? » Elle glissa une main dans son pantalon. À l'intérieur — dans son caleçon. Jamais personne ne l'avait touché à cet endroit-là. Un soir, Heather Lawson lui avait posé une main sur la cuisse — et lorsqu'il avait bougé, pour rapprocher ses doigts de l'endroit en question, elle avait cru qu'elle le gênait et s'était retirée. Jamais plus elle n'avait osé recommencer. De même que Robert n'avait jamais osé le lui demander. Et, maintenant, la situation était pire.

« Oh ! » fit Ella. Mais elle ne semblait pas fâchée. Elle continua de sourire — et l'embrassa sur le coin de la bouche. Puis elle retira sa main, gardant le poing fermé, et alla jusqu'à la table de toilette. Elle prit une serviette et lui dit de se mettre debout.

« Enlevez ça, ordonna-t-elle en désignant son pantalon. Je vais vous laver. »

Robert avait éjaculé en montant l'escalier. Son corps avait été plus rapide que son esprit. Il n'avait pu attendre.

Robert était étendu sur le dos, un bras replié sur les yeux. Ella s'y prenait avec tact et efficacité. Elle n'avait pas fait allusion à ce qui était arrivé. Et quand Robert avait rougi, elle s'était gentiment détournée pour sourire.

«Voilà», dit-elle, et elle lança la serviette dans un coin de la chambre. Puis elle vint s'asseoir sur le lit, les genoux sous le menton, et le dévisagea. «J'aimerais mieux voir vos yeux que de voir votre bras», sourit-elle. Robert ne répondit pas. «Houhou!» Elle poussa son bras, qui retomba sur le côté. Robert regardait au plafond. Elle s'appuya contre le montant du lit et alluma une cigarette. «Vous fumez?» Robert secoua la tête. «C'est toujours ça, dit-elle. Au moins, on sait que vous êtes vivant.» Elle se mit à rire.

Robert aurait bien aimer se couvrir, mais il ne savait comment le faire de façon naturelle. Il songea à se mettre sur le ventre — mais alors c'est son dos qui eût été exposé.

«Il ne faut pas avoir honte, vous savez, l'encouragea Ella. Il y a plein de types à qui il arrive la même chose. Surtout la première fois. Et puis — oh! la la! —, si vous saviez combien il y en a qui ne peuvent rien faire du tout!»

Robert se redressa et ramena le drap sur lui.

«D'ailleurs, reprit Ella, on a toute la nuit. Reposez-vous un peu — on verra après...»

Maintenant, Robert regardait par terre.

«Bon Dieu! dit-elle. Vous ne comprenez donc pas?» Cette fois, elle paraissait fâchée. «Si vous ne faites rien, moi, je ne serai pas payée!»

Robert leva enfin les yeux vers elle.

«Mais comment est-ce qu'on saurait...? demanda-t-il.

— Elle, elle saura, répondit Ella. À la façon dont vous marchez, elle comprendra. Suivant ce que les types ont fait, ils ne marchent pas de la même façon. Elle sait. Elle comprend.

— Mais qu'est-ce que ça change? demanda-t-il encore.

— Je ne sais pas, moi. Elle dit que c'est notre travail, et elle veut qu'on le fasse. Pour elle, chacun doit prendre son *plaisir.* » Elle se mit à imiter Maria. «*Mélanchez-fous! Mélanchez-fous!* Pour elle, ça veut dire que tout le monde doit baiser.» Elle rit puis redevint sérieuse. «Elle prétend que, pour la réputation de sa maison, c'est mauvais de laisser partir un type sans l'avoir satisfait. Elle nous le répète sans arrêt.»

Robert entendit un coup sourd dans la pièce à côté. Puis d'autres coups, accompagnés de bruits de claques. Il était atterré de découvrir que l'on pouvait entendre à travers la paroi. Il songeait: maintenant, quelqu'un sait ce qui s'est passé avec moi.

Ella sortit du lit et s'approcha de la paroi sur la pointe des pieds. Robert pensa qu'elle allait écouter — au lieu de quoi, elle se pencha et mit un œil contre un des motifs du papier. Elle resta ainsi quelque temps, après quoi elle lui fit signe de venir la rejoindre.

«Qu'est-ce que vous faites?» demanda-t-il. Il pensait qu'elle était devenue folle pour coller ainsi son œil contre la paroi.

«Chut! fit-elle. Allez, venez!»

Robert s'approcha lentement, enroulé dans le drap.

«Regardez», dit Ella lorsqu'il fut arrivé près d'elle. Elle lui prit la nuque et le poussa en avant. La tapisserie se brouilla; et il se demandait à quoi correspondait ce petit jeu, de quelle sorte de perversion il pouvait bien s'agir, lorsqu'il s'aperçut que l'un des motifs n'en était pas un, mais dissimulait tout simplement un trou — un trou par lequel on pouvait voir dans la chambre d'à côté.

Elle gardait la main appuyée sur sa nuque, de sorte qu'il n'aurait pu bouger, même s'il l'avait voulu. Mais ce qu'il voyait était si troublant qu'il resta là de son propre chef, à essayer désespérément de comprendre. Il y avait manifestement deux personnes nues, mais il ne vit d'abord que des dos, des bras et des jambes. Quelqu'un était debout au milieu de la pièce et frappait quelqu'un d'autre — de toutes ses forces. Enfin Robert se détourna et s'appuya le dos contre le mur. Jamais il n'avait ne fût-ce qu'imaginé une chose pareille : être frappé, et souhaiter de l'être. Battu. Ou battre quelqu'un parce que ce quelqu'un vous le demandait. À l'école, il se passait d'étranges choses, mais d'aussi étranges, jamais.

Elle le remplaça devant le judas, et, après quelques secondes, elle se mit à rire.

Comment pouvait-elle trouver cela drôle ?

Ella était comme un enfant. Elle le tira par le bras et le fit regarder encore, un doigt sur les lèvres pour lui imposer le silence.

Robert regarda — d'un œil, retenant son souffle.

Les coups semblaient s'être arrêtés, et il ne parvint pas tout de suite à localiser les amants. Puis il les entendit. Soufflant. Ils soufflaient de façon rythmée, comme deux sportifs courant côte à côte. Mais où ? Robert changea de position. Maintenant, il voyait le lit. Mais comme il ne le voyait que d'un œil, une dimension lui manquait. Le lit semblait collé contre le mur, comme sur une image. Et les deux personnages qui s'y trouvaient n'avaient aucun relief. L'un était pâle et l'autre sombre. L'un était couché sur le dos, le dos arqué, redressant les épaules, tandis que l'autre était assis entre ses cuisses, dans la position exacte du cavalier. Celui qui servait de monture remuait, levait le torse, soulevant l'autre des genoux, se cabrant tout comme les mustangs que Robert et ses camarades avaient réduits durant l'été. Le cavalier utilisait en guise de rênes un long foulard de soie, dont le cheval mordait une des extrémités. On n'entendait pas d'autres bruits que celui des ressorts et des respirations. Le cavalier tenait les rênes d'une main, et, de l'autre, il battait les flancs de sa monture avec une casquette de soldat. Et tous deux — le cheval et le cavalier — regardaient dans les yeux l'un de l'autre avec une intensité telle que Robert n'en avait jamais vu sur un visage humain. Une sorte de panique.

Son cœur battait si fort que Robert crut qu'il allait exploser. Même lorsqu'il se fut éloigné, puis qu'Ella eut repris sa place, les images et les sons de ce qu'il venait de voir et d'entendre continuaient à vivre dans sa tête — et son esprit commença de se brouiller comme il le faisait à chaque fois qu'il se trouvait devant une situation qu'il était incapable d'accepter. Robert retourna s'asseoir sur le lit. Il ramassa l'une de ses bottes et la tint dans ses mains. Son poids l'effraya, de même que la texture du cuir, si proche de la peau. Il jeta la botte à travers la pièce et brisa le miroir.

Puis il prit l'autre botte et cassa le broc d'eau. Ella courut se réfugier dans un coin de la chambre, la tête dans les bras, affolée.

Robert ne bougeait plus.

Tic-tic-tic, faisait l'eau.

Tic — tic — tic.

La monture était Taffler. Le cavalier, le Suédois, Goliath.

18

Robert demeura à Lethbridge jusqu'à la fin du mois de novembre, où il fut envoyé à Kingston, en Ontario, pour poursuivre l'étude du Code militaire et de la balistique. Taffler avait alors disparu depuis longtemps. Le bruit courait qu'il avait regagné la France ; cependant, le *Canadian Illustrated* publia une photographie de lui prise à Londres en compagnie de Lady Barbara d'Orsey : HÉROS ET FILLE DE MARQUIS.

En passant à Regina, Robert vit une bande d'Indiens — douze ou quatorze — arrêtés le long de la voie. Ils portaient tous une couverture pour se protéger du froid. Le jour se levait à peine. Tous les soldats se collèrent aux fenêtres du train pour regarder. L'un des Indiens était à cheval. Le cheval baissait la tête. Bien que le vent soufflât, bien que la neige fût soulevée du sol et tourbillonnât autour d'eux, les Indiens ne faisaient pas mine de bouger. Ils restaient là, immobiles — fantômes dressés au-delà des vitres givrées. Leurs yeux étaient d'un noir de jais. Robert voulait que tout le monde les saluât. Pourquoi ne pas saluer ces Indiens groupés le long de la voie ? Mais personne ne bougea. Chacun demeura pétrifié à sa place, à regarder, jusqu'à ce que le train reparte, arrachant l'un à l'autre, comme on déchire une feuille de papier, les deux groupes de spectateurs. À travers la prairie, par Winnipeg et la forêt, remontant vers le nord du lac Supérieur au pied du Géant Endormi, peinant à travers le Sault, puis, plus bas, toujours plus bas, par les bras de pierre et les doigts brisés et gelés de rivières sans nom, annoncé par un nuage de neige et de vapeur, le train le ramena vers son patrimoine de fermes et de cottages, de champs et de troupeaux. Il put enfin respirer l'odeur de sa ville — pourtant noyée dans les ténèbres — et il se leva pour regarder au passage les usines de son père, où les fourneaux rougeoyaient dans la nuit. Qu'était-il advenu des flèches et des tours, des symboles rassurants qu'il gardait en mémoire — des boutiques et des banques, des palais du commerce arborant des drapeaux ? Où donc étaient les rues aux maisons bien rangées sous le couvert des ormes au fond de leurs pelouses ? Qu'était-il arrivé en un temps si court qu'il oubliait avoir été absent ? Que signifiaient ces feux — où son père et sa mère dormaient-ils sous ce voile de fumée qu'éclairaient les reflets orange, rouges et jaunes des flammes ? Où donc, dans cette obscurité, était le monde qu'il avait connu, et où l'emmenait-on si vite qu'on n'eût même pas le temps de s'arrêter ?

Transcript arian Turner — 2

« Ce que vous ne connaîtrez jamais, vous autres qui n'étiez pas nés, c'est la sensation qu'on pouvait alors éprouver à dormir dans une ville, sous la neige, quand le silence de la nuit n'était troublé que par des chiens aboyant au passage de trains si lointains qu'ils traversaient vos songes sans même réveiller personne. C'est la guerre qui a changé tout cela. Eh oui! Après la Grande Guerre pour la défense de la civilisation, nulle part le sommeil n'est demeuré le même... »

19

Robert et ses camarades ne restèrent à Kingston que peu de temps. Sur tous les plans, la situation s'était aggravée. Gallipoli s'était avéré un désastre. Les Russes n'étaient pas parvenus à contenir l'avance des Allemands et des Autrichiens. La Pologne était tombée. La Serbie allait l'imiter. Les Alliés ne trouvaient rien de mieux à faire que de remplacer les hommes à qui ils avaient jusque-là confié le sort de leurs armes. Haig prit la place de French — le tsar Nicolas II, celle de son cousin, le grand-duc Nicolas —, Joffre se vit confier l'ensemble du commandement français (de son lit, le général French écrivit au roi que le général Haig était « fou »). Tout ce dont les feld-maréchaux semblaient capables, c'était de se quereller et de se faire valoir les uns au détriment des autres. Par milliers, des hommes mouraient dans la boue. Cependant, le Canada annonça qu'il était prêt à envoyer un nouveau contingent. Et c'est à ce moment précis que Robert fut promu au rang de sous-lieutenant. Désormais, c'était un officier à part entière — un homme mûr pour la guerre. Et le

18 décembre 1915, la 39e batterie — qu'il avait rejointe à Kingston — embarqua à St. John sur le *S.S. Massanabie.* Trois jours auparavant, il avait fêté son anniversaire. Clifford Purchas avait apporté une bouteille de vin qu'ils avaient bue tous ensemble dans les latrines, bien après l'extinction des feux, en chantant des chansons. Robert avait même fumé une cigarette. Il avait dix-neuf ans.

Le 4 août 1914, *Unter den Linden,* l'empereur Guillaume prenait la parole sous l'auvent d'une large marquise. Son bras atrophié était, comme de coutume, attaché à son sabre par un crochet. Il était détendu et souriant. Le ciel était plein d'oiseaux et de petits nuages blancs. De son bras droit, c'est-à-dire de son bras valide, le Kaiser désigna l'ombre fraîche des allées. Puis, en guise d'adieu, il dit à ses troupes: «Avant que ne tombent les feuilles de ces arbres, vous serez de retour chez vous.»

Cependant, depuis ce jour d'été, par deux fois déjà les feuilles étaient tombées.

20

Longboat, le héros de Robert, était un Indien. C'était un spécialiste du marathon. Un vainqueur. Il gagnait, puis souriait et se taisait. Robert aussi souriait et se taisait.

Lorsqu'il avait dix ans, il était monté au grenier et s'était mis nu devant un vieux miroir, espérant qu'il était rouge. Ou noir. Ou jaune. N'importe quelle couleur, mais pas rose. Le rose ne lui semblait pas convenir à l'attitude souriante et silencieuse qui lui plaisait. Un soir — il avait alors douze ans —, Robert avait décidé de courir un marathon lui-même. Vingt-six fois le tour du pâté de maisons : en bas, par le ravin, puis le long du trottoir — pieds nus. Il venait de souper ; son père attendait sous le porche et comptait les tours. Vingt-six. Alors qu'il venait de manger du foie au bacon avec des tomates. Ce n'était pas prudent. Mrs. Ross et Eena, la bonne, l'avaient pourtant dit. « Il va se tuer, avaient-elles répété. Vingt-six fois le tour du pâté de maisons, et juste après souper ! Il est fou, c'est sûr ! » Mais Tom Ross était d'avis qu'il fallait le laisser, puisqu'il le voulait. À la fin, au vingt-quatrième tour, toute la famille se trouvait réunie sur la véranda — y compris Bimbo, le chien, Eena, la bonne, et Charles, le jardinier. Tout le monde l'encourageait. Des voisins étaient sortis, et, de leur pelouse, ils le regardaient passer dans la rue en criant : « Vas-y ! » « Courage ! » « Tiens bon, Robert !!! »

Et, tout à coup, Robert s'était évanoui. Juste à la fin du vingt-cinquième tour. Il s'était effondré, terrassé par une jaunisse.

Son père l'avait soigné.

Chaque soir, après le travail, il montait dans la chambre obscurcie de Robert et lui racontait des histoires. Des histoires où il n'était jamais question de courses, mais de bateaux, de voyages et de chevaux. Cette phase les avait rapprochés. Et quand son fils s'était trouvé hors de danger, Tom Ross l'avait accompagné au grenier, puis l'avait regardé se déshabiller devant le vieux miroir, ôter son pyjama, et constater que la couleur de sa peau (maintenant jaune ocre) n'était plus la même. Robert avait souri, et s'était tu.

Son père semblait avoir compris. Lui aussi souriait et se taisait. Et lorsque Mrs. Ross lui demandait à quoi il pensait, il se contentait de hausser les épaules. Mais il pensait à l'époque où lui-même avait dix ans, et où, du clocher d'une église où il était monté, il avait vu, pour la première fois, le monde s'offrir à lui comme un cadeau.

Robert Raymond Ross : sous-lieutenant, artillerie de campagne

Il est en uniforme. Un uniforme encore impeccable. Sans le moindre faux pli. Ses bottes sont neuves — le dernier cadeau de son père. Il porte une cravache de cuir algérien. La poignée en est finement tressée, et Robert la tient d'une main légère, pointée vers le sol. Il est raide, d'esprit comme de corps. Seule sa main gauche refuse de lui obéir. Malgré lui, les doigts se plient pour faire le poing.

Les morts sont sérieux, c'est ce qu'essaie de dire cette photographie. Pas de survie possible. La mort est romantique, lorsqu'en parle une image. J'ai vécu — j'étais jeune — et je suis mort. Mais pas d'une mort tangible, bien sûr, puisque je suis là, en vie, avec les yeux tout brillants de lumière. Oh, j'ai bien une vague idée à quoi mourir peut ressembler. *La mort du général Wolfe.* L'on me tiendra la main et je n'aurai pas vraiment mal puisque déjà j'ai vécu tout cela, et survécu. Dans les tableaux — et les photographies — il n'y a jamais de sang. C'est tout juste si le héros soupire pour accueillir la mort, tandis que des mouchoirs de linon blanc assèchent ses blessures. Et ses blessures sont des poèmes. *Je défaillirai dans la gloire, au son de la musique, en entendant mon nom. Et l'on me fermera les yeux, et l'on drapera mon corps d'étendards, cependant que des trompettes et des tambours m'accompagneront chez moi sous la neige...* Et, plus tard, leur faisant traverser tapis et parquets sur la pointe des pieds, ma mère conduira ses amis vers cette photographie, et chacun gémira. Des médailles (comme vous pouvez le voir, pour l'instant, je n'en ai aucune) reposeront juste à côté du cadre dans des écrins de cuir tout doublés de satin. J'aurai la croix de guerre. *Il est mort pour le roi et pour son pays* — victime de la guerre qui devait mettre fin à toutes les guerres.

5 sur 9, dans un cadre d'argent.

21

Ils étaient montés à bord à dix heures, et maintenant il n'était plus loin de deux heures. Robert était dans une cabine avec Clifford Purchas, le capitaine Ord et Harris, un garçon de Sydney, en Nouvelle-Écosse. Le *S.S. Massanabie* devait voyager en convoi avec d'autres bateaux, mais combien, personne n'aurait su le dire avec précision. Certains se trouvaient dans le port, tandis que d'autres mouillaient au large, invisibles. On prétendait qu'une tempête allait éclater, mais, pour l'instant, aucun signe précurseur ne se manifestait. Le ciel était simplement gris et bas, et il faisait un froid humide, quelque peu démoralisant.

À deux heures, l'agitation s'empara du bateau. Robert se faufila sur le pont. Tout le monde était excité. On embarquait les chevaux. C'était inattendu. On n'avait averti personne.

Chaque cheval était placé dans un harnais et soulevé par une gigantesque grue, qui le déposait ensuite dans la cale comme n'importe quelle cargaison. Robert n'avait jamais rien vu de tel. Cent quarante bêtes furent ainsi chargées à bord. Arrivée au sommet de sa course, chacune d'entre elles leva la tête et émit un hennissement. Un seul. Sinon, pas le moindre tapage. Et quand tous les chevaux eurent été embarqués, on referma les écoutilles, et le *S.S. Massanabie* quitta enfin le quai pour aller au milieu du port attendre la marée.

Quelqu'un vint alors annoncer que le dernier courrier partirait bientôt, et que tous ceux qui avaient des messages et des lettres à lui remettre devaient se dépêcher. Robert écrivit à son père et lui dit à quel point il avait été surpris de le voir à Montréal. Lorsque le convoi militaire était arrivé au dépôt, regardant par la fenêtre, Robert avait vu le wagon privé de la RAYMOND/ROSS stationné à trois ou quatre voies de là, partiellement caché par une locomotive munie d'un chasse-neige. Cela paraissait impossible. Comment son père avait-il su qu'il serait là ? Et pourquoi — mais, cela, Robert ne le demandait pas dans sa lettre —, si son père avait pu venir, Mrs. Ross ne l'avait-elle pas accompagné ? Quoi qu'il en soit, cette rencontre avec son père lui avait fait plus de bien qu'il ne pouvait le dire. Pourtant, il devait avouer que le revolver qu'il lui avait donné — et que, grâce à ce voyage à Montréal, il avait pu lui remettre en personne — ne correspondait pas à ce qu'il désirait. Mr. Ross lui avait tendu un coffret de bois poli, qu'il l'avait prié de ne pas ouvrir avant le départ du train.

« Je crois que la seule chose à faire est de le rendre là où vous l'avez acheté et de demander à être remboursé », écrivait maintenant Robert.

Le coffret renfermait un colt à six coups. Mais Robert voulait un automatique. « Je m'empresse de dire que ce n'est pas votre faute, écrivit-il. C'est certainement celle des postes, qui, dans mon dernier télégramme, ont dû mettre 0,45 au lieu de 0,455. Je pourrais le renvoyer maintenant, mais en tant qu'officier il ne m'est guère possible de demeurer sans arme. Je le garderai donc jusqu'en Angleterre, et je m'occuperai là-bas de vous le retourner. Peut-être Mr. Hawkins pourra-t-il m'aider — en le glissant dans un colis de la compagnie, par exemple. En fait, certains officiers s'étaient décidés pour un six-coups, mais un spécialiste de la question nous a affirmé que, dans les tranchées, un automatique s'imposait. Comme il s'agit de ma sécurité, je suis sûr que vous comprendrez. »

Clifford Purchas pria Robert d'embrasser Peggy de sa part. Robert acquiesça, mais il n'en fit rien. Entre eux, les choses s'étaient un peu gâtées depuis que Clifford lui avait emprunté de l'argent et ne lui avait toujours pas rendu. En outre, Robert n'avait envie d'embrasser personne de la part de qui que ce soit. Cela lui semblait manquer de virilité. Toutefois, il joignit à sa lettre une photographie (officielle), à propos de laquelle il écrivit :

« Comme vous pouvez le constater, nous formons une fameuse équipe. Pourtant, nous ne sommes pas encore tout à fait des soldats. Je le sens moi-même, et l'on ne manque pas une seule occasion de nous le répéter. Depuis le début, c'est la même histoire. Dès qu'on se croit prêt, on nous retire nos hommes et on nous confie une bande de bleus. Pour la plupart, les types que vous voyez sur la photo travaillaient soit dans des scieries, soit dans des usines. Je suis sûr que vous les aimeriez. Mais notre batterie n'a été constituée que récemment, de sorte que j'ai encore certains problèmes de discipline. (Ha ! ha !) L'Irlandais qui a déserté et dont je vous ai parlé à la gare est le grand sergent que l'on voit sur la gauche. Il a volé un cheval et ne s'est plus jamais manifesté. Il semble que la vie militaire ne convienne pas à tout le monde ! Bien — il faut maintenant que je vous quitte. On entend partout des coups de cloches et de sifflets. Sur le pont, tout le monde crie et gesticule comme si l'on pouvait encore nous voir et nous entendre du rivage. Mais il fait déjà nuit, et nous sommes loin du quai. AU REVOIR ! À la proue du bateau, j'entr'aperçois des feux. J'écris ces mots à la lueur d'une lanterne. Verte à tribord en regardant la mer. J'espère que vous pourrez lire — pour moi, j'en serais incapable ! Adios, donc — comme disent les desperados. Robert Ross. Votre fils. »

22

Le 19 décembre 1915 était un dimanche. C'était le lendemain du jour où Robert (et tout un contingent de Canadiens) embarqua pour l'Angleterre. Le matin, la famille Ross alla à l'église, marchant dans la neige. Miss Davenport était également là. C'était la compagne toujours plus fidèle de Mrs. Ross — qui était de moins en moins une compagne pour son mari et pour ses fils. La promenade dans la neige les conduisit par Park Road de l'autre côté du défilé jusqu'à Collier Street, puis à Bloor. Sur les marches de l'église — St. Paul —, un joueur de cornemuse appelait les fidèles au culte. Sa présence signifiait que quelque régiment assisterait au service et que, par conséquent, l'on aurait droit à un sermon militant et très probablement sanguinaire. Cette perspective déprima Mrs. Ross.

Mr. Baldwin Mull — un voisin redouté pour son caractère et son habitude d'accumuler les maisons — les précédait sur le trottoir, barbe au vent et coiffé d'un énorme chapeau noir. Stuart fit une boule de neige et enleva ses moufles pour la réchauffer, le temps que se forme tout autour une pellicule de glace. À mesure qu'ils se rapprochaient de l'église, Mrs. Ross devenait plus nerveuse à la vue des connaissances réunies sur les marches. Miss Davenport voulut lui prendre le bras, mais elle refusa. « Si je tombe, je tombe — c'est tout », dit-elle. Son mari l'entendit, mais continua du même pas. Peggy et lui distribuaient autour d'eux des saluts et des sourires. Mr. Ross ne cessait de soulever son chapeau. Peggy avait coutume de mettre des gants blancs pour se rendre à l'église, et elle tenait sa main gantée de blanc sur la manche de son père. Comme de bien entendu, ils étaient habillés de noir. Mrs. Ross portait une voilette qui dissimulait son expression mais laissait voir ses traits. Les Bennett et les Lawson, les Lyman et les Bradshaw, les Aylesworth et les Wylie, tout le monde était là. Et, bien sûr, les Raymond (les Raymond étaient les cousins et les sœurs de Mrs. Ross). Elle les haïssait tous. Autrefois — lorsqu'elle était adolescente — non. Mais aujourd'hui, elle ne pouvait les supporter. La seule personne bien qu'elle connût était Davenport. Cette dernière distribuait des tablettes de chocolat aux soldats penchés aux fenêtres des trains. Quand Mrs. Ross l'accompagnait et se tenait sur le quai de la gare, elle avait l'impression d'adoucir un peu l'horreur des balles.

Debout sur les marches, mais sans être vraiment avec son mari, Mrs. Ross observait l'assemblée d'hommes et de femmes qui avaient grandi avec elle. Ils avaient tous, songeait-elle, été *enfants* ensemble. Pourquoi étaient-ils là, dans la neige, avec ces vêtements noirs, noirs, et ces voilettes, à écouter le chant plaintif de la cornemuse et à se saluer — à échanger des poignées de mains comme pour se féliciter que tous leurs fils s'en soient allés mourir au loin ? La moitié d'entre eux, ou plus, avaient comme elle un fils sur l'un ou l'autre de ces bateaux qui, la veille, avaient quitté St. John.

La boule de neige de Stuart fondait entre ses mains. Mrs. Ross avait envie de lui demander pourquoi il ne la lançait pas. Il y avait là une demi-douzaine de personnes au moins à qui elle l'aurait lancée avec joie — mais c'eût été de la folie, bien sûr. Lentement, ils entrèrent. Une compagnie d'Écossais de Toronto arriva et prit place, occupant toute une travée de l'église. Lorsque le chœur fit son apparition, tout le monde se leva. On chanta quelque chose. Puis vinrent les litanies. On s'assit, on se leva, on chanta, on s'assit, on s'agenouilla. *Dieu ceci, Dieu cela, et amen.*

Mrs. Ross s'appuya contre le dossier de son banc.

Aujourd'hui, c'est l'évêque qui devait prêcher. Il parla

de ceux qui affrontaient alors les dangers de la mer. Il parla de débarquement. Il parla de drapeaux et de guerres saintes. Il parla de l'Empire. Il eut même le front d'évoquer Noël. Mrs. Ross n'y tint plus. Elle se leva. Une fois debout, elle se pencha vers le chapeau violet de Davenport et dit : « J'ai besoin de vous. Venez. » Elle bouscula au passage les genoux de Dorothy Aylesworth, les tibias de la vieille Mrs. Aylesworth, et la canne à pommeau d'or de Mr. Aylesworth. Enfin, elle atteignit le bas-côté, Miss Davenport la rejoignit, et elles se dirigèrent vers la porte — Mrs. Ross marchant sur les talons pour être bien sûre que tout le monde l'entende. L'évêque fit une pause, mais n'abandonna pas pour autant la lutte...

Une fois dehors, Mrs. Ross s'affaissa sur les marches et s'assit dans la neige.

« Mais... on ne peut pas s'asseoir ici, protesta Davenport.

— Moi, je peux », rétorqua Mrs. Ross.

Elle alluma même une cigarette. Quelle importance ? Les seuls passants étaient des enfants — et ils étaient tous occupés à courir après des automobiles, glissant et dérapant sur la glace.

Mr. Ross, Peggy et Stuart étaient restés à l'intérieur. Peggy avait failli suivre sa mère, mais son père l'en avait empêchée. Il était inquiet pour sa femme, mais il savait que ni lui ni ses enfants ne pouvaient rien pour elle. Ce dont elle avait besoin, c'était d'une cathédrale vide où invectiver Dieu.

Davenport s'assit sur son étole d'écureuil. Ses mains étaient déjà glacées. Mrs. Ross fouilla dans son manchon et en retira une flasque d'argent. Elle but et la tendit à Davenport — mais, craignant le scandale, Davenport refusa.

Mrs. Ross rajusta sa voilette, mais garda la flasque à portée de la main. « J'avais peur de me mettre à hurler », expliqua-t-elle. Elle fit un geste pour désigner l'église et le prêche qui s'y déroulait. « Je ne comprends pas. Non. Je ne peux pas comprendre. Et je ne le veux pas. Pourquoi devons-nous vivre ça, Davenport ? Qu'est-ce que ça signifie — *tuer nos enfants ?* Tuer nos enfants, et venir ici remercier Dieu ! Voyons ! mais ça n'a pas de sens ! » Elle eut un sanglot de colère. Coiffée d'un béret rouge, une fillette se tenait au bas de l'escalier et regardait. Mrs. Ross détourna les yeux. « Tous ces soldats, assis là, qui sourient à leurs parents. Dieu merci, Robert ne m'a pas souri avant de partir — je ne l'aurais pas supporté. » Elle porta une main à son front. L'enfant la regardait fixement, et, en dépit des brumes de l'alcool et du léger délire où l'avait mise sa fureur, Mrs. Ross comprit qu'elle avait peur — peur de cette dame assise dans la neige avec ses fourrures étalées autour d'elle comme des fleurs mortes. Elle comprit que, si elle ne se levait pas, l'enfant la croirait folle — et bien assez d'adultes avaient déjà perdu la tête. Elle tendit la main à Davenport. Davenport la prit.

Mrs. Ross se leva.

L'enfant parut soulagée. La raison avait retrouvé ses droits. Elle sourit.

Mrs. Ross ramassa ses fourrures et rangea la flasque dans son manchon. Elle regarda sa cigarette comme quelque chose qu'elle venait de trouver, avec l'air de dire : comment donc ai-je pu penser que c'était à moi ? Et elle la jeta.

« Où sont tes parents ? demanda-t-elle à la fillette.

— À la maison.

— Et qu'est-ce que tu fais là, toute seule ?

— J'habite juste à côté. Le dimanche, on me permet de venir regarder les gens entrer et sortir de l'église, répondit l'enfant.

— Ah, fit Mrs. Ross. Eh bien, nous, nous allons rentrer. Est-ce que tu veux venir avec nous?

L'enfant jeta un coup d'œil à Miss Davenport. Avec ses larges ailes, son chapeau violet avait quelque chose d'effrayant — mais la dame qui, tout à l'heure, était assise avait une voilette, et la petite fille aimait les voilettes. Elles faisaient autour du visage comme un rideau de fumée. Elle acquiesça. Mrs. Ross lui prit la main.

Toutes trois entrèrent et s'assirent au fond. Cependant, l'assistance se levait pour chanter.

« Tous les habitants de la terre
« Élèvent vers Dieu un hymne joyeux.
« Ils le servent dans l'allégresse
et chantent ses louanges.
« Venez à lui et réjouissez-vous. »

La fanfare qui avait accompagné les soldats se mit à jouer. L'orgue gronda. L'assemblée reprit d'un seul chœur:

« Le Seigneur est notre Dieu,
« Il n'a nul besoin de nous... »

Mrs. Ross serrait la main de l'enfant pour se retenir de chanter. Cependant, l'hymne continuait:

« Nous sommes son troupeau,
c'est lui qui nous nourrit;
« Il nous considère comme ses brebis. »

Et, tout à coup, une trompette retentit. Les notes argentées de son beau chant désespéré montèrent à l'assaut des voûtes, entraînant avec elles les regards des fidèles, et Mrs. Ross elle-même ne put s'empêcher de lever les yeux pour voir où elles étaient allées.

«Le Seigneur notre Dieu est bon.
«Sa grâce est infinie;
«Sa fidélité jamais ne faiblit
«Et dure d'âge en âge.»

Il y eut un long *amen,* répété par l'écho.

Mrs. Ross regarda l'assemblée, et l'évêque, au loin, pris dans la lueur incertaine des cierges, et la grande croix d'or dressée derrière lui. *C'est là que je me suis mariée,* pensait-elle seulement.

Par terre, la neige des chaussures avait complètement fondu. Malgré elle, Mrs. Ross sourit. Avec de l'eau, il n'était plus question de faire des boules de neige.

23

Robert avait toujours aimé la mer. Les eaux plus calmes de ses précédentes traversées lui avaient donné la fausse impression qu'elle était profonde mais mesurée, qu'elle vous portait vers votre but sur la courbe infinie de ses vagues de verre, et que les tempêtes qui parfois l'agitaient avaient la poésie de celles de Conrad.

Maintenant, c'était différent. La tempête qui se déchaînait était bien réelle et semait un profond désordre à tous les postes de combat. Les hommes — dont la discipline laissait à désirer — étaient agglutinés dans des locaux prévus pour contenir le quart de leur nombre. Ils n'arrêtaient pas de se battre et de se disputer. La nourriture n'était jamais qu'un infâme ragoût, dont le curry masquait mal la saveur véritable. Elle était servie dans de vastes écuelles blanches qui en soulignaient l'écœurante couleur. Les compagnies mangeaient à tour de rôle. Deux cent quarante hommes se réunissaient en même temps et s'attablaient devant des plateaux de bois, qu'en dépit du bon sens on avait dressés sur des chevalets. Il ne se passait pas de repas sans que l'un ou l'autre plateaux ne s'effondrent — soit que quelqu'un s'y prît le pied, soit que le navire fît une embardée particulièrement violente —, de sorte que toujours le ragoût finissait par terre, dans une mare de thé et de café bouillants, au milieu des écuelles, des pots et des couverts.

Pour la plupart, les hommes n'étaient jamais allés en mer, et quoiqu'ils fussent habitués à la promiscuité de la caserne, rien ne les avait préparés à vivre dans les dortoirs surpeuplés et sans air de l'entrepont. Les latrines et les douches étaient de véritables places publiques où l'on aurait vainement tenté de s'isoler, et la foule, qui encombrait presque de façon permanente ce qui tenait lieu d'urinoirs, contraignait bien souvent les hommes à se soulager contre les cloisons. Les hublots étaient verrouillés, par crainte du froid. L'air était bleu de fumée, et l'oxygène encore raréfié par l'écrasante chaleur des machines. Tout le monde souffrait de maux de tête, et ceux qui avaient l'habitude de vivre à l'extérieur s'évanouissaient, faute de pouvoir respirer.

On trouvait parfois jusqu'à huit couchettes superposées. Le sommeil — par opposition à la perte de conscience — n'existait pratiquement pas. S'il venait à quelqu'un l'envie de se retourner, il lui fallait se glisser hors de sa couchette et remonter de l'autre côté. Tout bougeait, et les bras géants des pistons arrachaient au navire une plainte incessante. En dehors des exercices de sauvetage, il n'était pas possible de sortir, à moins d'être désigné comme piquet de garde auprès des chevaux. Aucun divertissement n'avait été prévu, de sorte que les rixes, nées pour la plupart de tricheries aux cartes ou de provocations sexuelles, étaient devenues pour les hommes la principale distraction.

En haut, dans les locaux de première classe, les officiers étaient légèrement mieux lotis. Il y avait surcharge, là aussi, mais la vie demeurait possible. Désormais, les cabines prévues pour un passager en contenaient deux, les cabines doubles quatre, et ainsi de suite. Seuls les officiers supérieurs conservaient le privilège d'avoir une ordonnance à leur disposition. Personne n'avait de salle de bains privée, hormis le commandant du bataillon. Conserver une certaine intimité était certes difficile, mais non pas impossible. Du moins, les cabinets se fermaient-ils et les douches étaient-elles séparées par des cloisons. Dans la salle de bal, il y avait un piano à queue fixé au parquet, où, l'un des soirs précédents, quatre blonds avaient exécuté la partition complète de *Pinafore*. Ce n'était pas là une œuvre facile, et, à la fin, ils ne chantaient plus que pour eux. Par la suite, et durant tout le reste du voyage, le piano demeura fermé. Pour ceux qui supportaient la nourriture, les repas étaient servis dans les divers salons et salles à manger. Les officiers mangeaient à des tables recouvertes de longues nappes blanches, que les hommes du mess prenaient soin d'humecter de sorte que les assiettes et les plats tiennent plus ou moins en place. La nourriture était une version améliorée du ragoût servi à la troupe. C'est ainsi qu'on y rajoutait du vin pour le servir sous le nom de « bourguignon ». Mais, régurgité, le goût du vin ne vaut pas mieux que celui du curry, de sorte que, en fin de compte, les effets de la nourriture étaient plutôt démocratiques. Les officiers ne quittaient guère leurs cabines que pour descendre voir ce qu'on pouvait faire pour empêcher les hommes de se mutiner. Ne fût-ce que pour cette raison-là, Robert était ravi d'avoir gardé son revolver.

Le seul fait de porter un étui l'aidait à s'imposer. Car, malgré l'entraînement qu'il avait subi et les semaines qu'il avait passées à tenter de dresser ses hommes, il se sentait très jeune, et, comme la plupart de ses camarades, bien légèrement bâti comparé à l'ensemble des vétérans, formés aux travaux physiques les plus durs. Mais, en définitive, ce qui empêchait les hommes et les officiers de se dresser les uns contre les autres, ce n'était rien d'autre que leur obéissance mutuelle à quelque tyrannie intérieure, dont la tempête et l'espace restreint où ils se trouvaient confinés étaient peut-être responsables. Quoi qu'il en soit, leurs affrontements se terminaient toujours de la même façon : par un éclat de rire.

Parmi ceux qui partageaient la cabine de Robert, seul le capitaine Ord était inactif. Le lendemain du départ, il avait revêtu un pyjama bleu aux poches ornées d'ancres blanches, et il s'était retiré dans sa couchette. Sous prétexte qu'il avait perdu la voix, il passa toute la traversée confortablement calé parmi les oreillers, à boire du cognac dans un gobelet d'argent et à lire les œuvres de

G.A. Henty. « Je ne comprends vraiment pas ce que vous y trouvez, lui avait déclaré Clifford. C'est des bouquins de mômes. » Ce à quoi Ord avait répondu que, du moment où justement on lui confiait un travail de môme, cette littérature lui semblait le meilleur moyen de s'y préparer. Et il avait souri. Clifford n'appréciait guère cette forme d'humour. Pour lui, il n'y avait rien de plus sérieux que la guerre, qu'il considérait comme une chance unique de devenir un homme. Chaque soir, avant de se coucher, il montait sur la passerelle avec Horatio — rapportait les nouvelles d'Aix à Gand, et, sourire aux lèvres, tombait mort. Il ne cessait de répéter : « Vous avez bougrement raison ! », et passait une partie appréciable de son temps enfermé dans la salle de bains à s'envoyer en secret dans le miroir des coups de chapeau et des sourires. Il chantait, bien sûr, et ajoutait à ses chansons des couplets de son cru. Il s'asseyait sur sa couchette pour astiquer ses boutons et ses bottes, tout en grognant contre Ord, ignorant que celui-ci s'était endormi dans la couchette supérieure en lisant *With Clive In India* et que le livre était à la veille de lui tomber sur la tête.

Harris, le garçon de Sydney, avait le teint blême. Il portait toujours son col relevé et les revers de sa veste croisés sur la poitrine. Il avait une paire de gants de cuir que Robert admirait : ils étaient d'une douceur extrême et doublés de laine filée à la main. Malheureusement, ils étaient abîmés. À force d'en mordre les index, Harris y avait fait des trous. C'était un enfant unique, qui n'avait jamais quitté la maison. Sa mère était morte quand il avait trois ans, et il vivait brouillé avec son père, un homme silencieux qui possédait un chantier naval où se construisaient des bateaux de pêche. Harris restait de longues heures à regarder par le hublot, dans l'espoir de voir une baleine. «Jamais tu ne verras de baleines par un temps pareil, lui avait dit quelqu'un. Et, de toute manière, actuellement, elles se trouvent dans l'Atlantique Sud. — C'est vrai, avait-il répondu. Mais on ne sait jamais...» Le matin, au réveil, ses camarades trouvaient Harris debout, tout habillé, avec parfois un foulard bleu autour du cou — un foulard triste et délavé.

Il n'y avait d'autres occasions de prendre l'air que durant les exercices de sauvetage, mais alors tout le monde s'efforçait de ménager son souffle, car la température était tombée à vingt degrés sous zéro. Dans les endroits exposés au vent, il faisait même moins quarante. La seule chose qu'on leur enseignât en matière de sauvetage, c'est qu'il fallait éviter à tout prix de tomber à la mer. L'eau ne pardonnait pas. Elle tuait aussitôt qu'elle atteignait la peau. Hommes et officiers prenaient position par section, les officiers tournés vers les chaloupes, les hommes vers l'intérieur, en face des cheminées. S'ils avaient eu l'autorisation de se retourner, ils auraient pu se mettre à compter les canots de sauvetage et constater qu'il n'y en avait même pas assez pour la moitié d'entre eux. Le vent était une bénédiction. Il contraignait la plupart des hommes à fermer les yeux.

Les premiers jours, Robert et Clifford essayèrent de sortir sur le pont, mais à chaque fois ils terminèrent leur promenade blottis derrière une manche à air ou à l'abri d'une caisse de transats. Le quatrième jour, Harris se joignit à eux et rentra avec un rhume. Le rhume dégénéra bientôt en bronchite, et la bronchite en pneumonie. Sa température monta de façon alarmante, de sorte qu'au bout d'un jour et demi il fallut le descendre à l'infirmerie, où il partagea l'attention des médecins avec deux hommes qui s'étaient assommés à coups de talon, l'un ayant volé à l'autre une tablette de chocolat. Et c'est à cause de cette maladie que Robert se vit tout à coup confier la garde des chevaux.

En effet, jusque-là, c'était à Harris qu'avait incombé le commandement du détachement chargé de s'occuper des chevaux enfermés dans la cale. Et comme il se trouvait que la compagnie de Harris était placée sous les ordres du capitaine Ord, celui-ci avait laissé tomber un œil distrait du haut de sa couchette, où il lisait maintenant *With Wolfe at Quebec*, pour annoncer platement à Robert qu'il le nommait remplaçant de Harris. Quand Robert avait protesté que peut-être le commandant de sa propre compagnie avait aussi son mot à dire, Ord lui avait dédié l'un de ses plus charmants sourires pour lui déclarer que «tout cela» était arrangé. «Mais n'ayez crainte, avait-il ajouté. Vous aurez quelqu'un pour vous aider: l'adjudant-chef Joyce. Et, croyez-moi, quel que soit leur grade, il n'y a pas sur ce bateau d'hommes plus capables que lui. — Merci, mon capitaine. — De rien, de rien, lieutenant Ross. J'espère seulement que vous aurez plaisir à ce travail.»

24

Le travail en question était bien loin d'être plaisant. Lorsque Robert pénétra dans la cale, sa première réaction fut une réaction d'horreur. Puis de colère. Avant de voir quoi que ce soit, on était assailli par le bourdonnement des mouches. Les mouches pullulaient. Et Robert se demanda comment Harris avait pu ne rien faire pour lutter contre ce fléau — jusqu'au moment où il essaya lui-même de s'y attaquer. Car il eut alors l'occasion de se rendre compte que, sur le bateau, personne n'était disposé à collaborer. Pas plus les officiers de bord que l'équipage, et moins encore ses propres supérieurs.

L'endroit était à peine éclairé, et les dalots étaient pleins d'eau croupissante et d'urine. Depuis des jours, le fumier s'accumulait sur place. Le paradis des mouches. De milliers de mouches. En outre, il y avait des rats, et les hommes de garde étaient contraints de s'asseoir sur les escaliers ou sur les balles de foin. Ils avaient tous un mouchoir sur le nez et semblaient se tenir aussi loin que possible des chevaux. Nombre d'entre eux étaient malades et n'auraient pas dû être là. Robert commença donc par les remplacer par un nouveau détachement, et ordonna à l'adjudant de veiller à ce que le fumier fût proprement mis en tas. Par ailleurs, il donna l'ordre d'inonder les ponts. Pour tuer les mouches, il songea à se servir du froid, mais on lui refusa l'autorisation d'ouvrir les panneaux d'écoutille. Il demanda en outre un détachement supplémentaire, de sorte que les hommes puissent être relevés toutes les deux plutôt que toutes les quatre heures; mais le commandant du bataillon ne voulut pas en entendre parler. « Pour commencer, ces foutues bêtes ne devraient pas être à bord! » grogna-t-il. Il avait le visage violacé et empestait le gin. « Quand nous serons arrivés, je leur dirai ma façon de penser! Transporter des hommes et des animaux sur le même navire — a-t-on jamais vu ça! » Sur quoi il fit signe qu'on pouvait attaquer une nouvelle partie de bridge. « En attendant, reprit-il, moins d'hommes seront en contact avec ces damnés chevaux, et mieux cela vaudra. Je n'ai pas envie que mes troupes attrapent Dieu sait quelles maladies... Vous pouvez disposer, lieutenant. » Ce fut tout ce que Robert parvint à en tirer.

Désormais, il passa une bonne partie de son temps dans la cale, et — chose curieuse — il découvrit que c'était un remède excellent contre le mal de mer. Il prit un intérêt croissant à ce monde de chevaux, de rats et de mouches qu'on avait confié à sa garde. Ce monde — sur lequel présidait un adjudant-chef tonitruant et que surveillaient, du haut de leurs tours de foin, des gardes fantomatiques aux visages masqués — avait une vie entièrement à part. Et Robert perdit bientôt tout contact avec l'autre vie, celle des ponts supérieurs. Il restait en bas alors même que son service était fini.

25

Enfin, le 27 décembre à deux heures du matin, on arriva en vue de la terre. Mais la tempête, qui commençait à peine à se calmer, prit une nouvelle direction, de sorte que le *S.S. Massanabie* dut passer toute la journée désespérément ballotté par les vagues à l'extérieur du port de Plymouth. Le vent soufflait maintenant par rafales, qui atteignaient parfois jusqu'à soixante-dix milles à l'heure. Cependant, pour « parer à toute éventualité », le commandant décida de réunir tous les hommes dans les parties supérieures du navire. Bientôt, ils eurent envahi jusqu'au moindre couloir, où, alignés sur deux rangs, ils luttaient de leur mieux contre le mal de mer. Tous portaient la capote et, par-dessus, un gilet de sauvetage. Il suffisait que deux hommes se tournent en même temps pour que le passage soit bloqué. Toute lumière était interdite. Pourtant, dans la salle de bal, quelqu'un craquait parfois une allumette dont la flamme révélait un instant un visage blafard. Personne ne parlait. Le piano protestait à chaque fois que la porte s'ouvrait et qu'un coup de vent faisait vibrer les cordes. On conjura la panique en observant, dans le clair de lune, un autre bateau du convoi alors qu'il était à deux doigts de sombrer, dans une manœuvre destinée à l'amener au port en évitant les écueils.

Ce n'est que le mardi à quatre heures du matin que Robert quitta la cale pour retrouver sa cabine. Il était à ce point épuisé qu'il n'eut même pas la force d'enlever ses gants. Il s'étendit sur sa couchette et ferma les yeux sur la main du capitaine Ord, qui pendait à côté de lui comme une araignée au bout de son fil. Une demi-heure plus tard, l'adjudant-chef frappait à la porte de la cabine.

« Désolé de vous déranger, mon lieutenant. Mais un des chevaux vient de se briser une patte. »

Ce qui signifiait que le sous-lieutenant Ross allait devoir redescendre au fond du navire. Il fallait en effet abattre le cheval, et, comme de bien entendu, c'était à un officier de le faire. D'ailleurs, les officiers seuls possédaient une arme.

26

L'adjudant-chef attendait. Robert se rendit à la salle de bains. La porte n'avait pas de verrou, et, tout le temps qu'il demeura à l'intérieur, elle ne cessa de battre : bang, bang — en avant — bang, bang — en avant... Jamais, de toute sa vie, il n'avait pressé sur une gâchette contre une créature vivante.

Robert était debout, le pantalon déboutonné, penché sur la cuvette, une main contre la cloison. Rien ne venait. Comme sa bouche, sa vessie semblait s'être desséchée. Il essayait en vain de trouver un moyen d'éviter ce qui l'attendait. *Pourquoi donc l'adjudant-chef Joyce ne pouvait-il le faire lui-même?* Après tout, il avait passé toute sa vie dans l'armée, lui. Et c'était un tireur d'élite, tout le monde le savait. Il devait avoir tué des centaines de fois ou même davantage — des hommes, des rats, des chevaux, tout ce que la guerre donne l'occasion de tuer. Le cerveau de Robert commençait à s'emballer.

Joyce avait fait la guerre des Boers. À la bataille de Paardeburg, on l'avait même laissé pour mort. Il avait eu la mâchoire brisée, et, comme il n'y avait pas de médecin, elle s'était remise de travers. Il en avait conservé une drôle de voix sifflante qui sortait par le nez. Cependant, il s'inquiétait pour Robert : « Ça va, mon lieutenant ? — Oui, répondit Robert. J'ai eu un petit malaise. » Il sortit du cabinet en se reboutonnant. « Je connais ce genre de malaises, déclara Joyce. La sécheresse — on dirait — rien ne veut sortir. » Grâce à la lune, qui pénétrait par les hublots et se reflétait dans les glaces, Robert le voyait parfaitement. Et il songea que, dans cette circonstance, personne n'aurait pu rien trouver de mieux à lui dire. « Merci », murmura-t-il.

Robert but un verre d'eau, cependant que Joyce lui expliquait : « Vous marcherez derrière moi, mon lieutenant. En me tenant par les bretelles. Je vous guiderai. Les couloirs sont envahis d'hommes. » Puis ils quittèrent le confort des lavabos et des toilettes pour descendre, par les coursives et les échelles sombres, passant sous les bras et par-dessus les pieds des hommes, jusque dans les entrailles du navire — l'adjudant-chef éclairant de sa torche les visages des dormeurs, et Robert à sa suite, une main posée sur l'étui de son revolver, et tenant de l'autre les rênes d'élastique.

27

La cale était pleine de gémissements. Elle était encore plus sombre que de coutume, car la tempête était si violente qu'elle avait éteint plusieurs lampes. Les provisions, le foin et les bagages étaient amarrés en gigantesques tas, dont la rare lumière permettait seulement de distinguer la forme. Dans cette pénombre, soixante-dix chevaux essayaient de se maintenir debout (les soixante-dix autres étaient parqués plus loin, dans une autre partie de la cale). Ils étaient dans des stalles improvisées, enfermés par groupes de dix dans des espèces de corrals, dos à dos, le long des passages aménagés parmi la cargaison. Ils n'avaient ni mangeoires ni abreuvoirs. On leur mettait leur ration de foin entre les sabots et on leur apportait à boire dans des seaux. Les efforts qu'ils devaient fournir pour ne pas tomber constituaient leur unique exercice.

Robert avait espéré trouver là plusieurs hommes pour l'aider, mais il n'y avait qu'un seul garde. Voyant son étonnement, l'adjudant lui expliqua qu'aussitôt après son départ, le général avait donné au détachement l'ordre de remonter et de laisser les bêtes se débrouiller seules. C'est alors que le cheval était tombé.

Le seul homme qui restât était un garçon prénommé Regis. L'océan le terrorisait. Il venait de Regina et n'avait jamais rien vu que les eaux jaunes et peu profondes de la Qu'Appelle. En dépit de ce qu'il avait dû raconter pour se faire engager, Regis ne pouvait avoir plus de seize ans. Il était alors assis sur une marche, les rats circulant à ses pieds, et tournait le dos au cheval et à ses cris plaintifs. Il avait visiblement pleuré, et son visage était maculé de poussière.

Comme ils arrivaient au bas de l'échelle, le *S.S. Massanabie* se mit à vibrer et à craquer de toutes parts — *bang! bang! bang!* Le capitaine qui avait décidé trop tôt d'aller grand largue luttait pour maintenir le bateau à l'écart des rochers. Regis dit: «On va tous se noyer», et Robert rétorqua: «Certainement pas» — tout surpris de l'autorité avec laquelle il s'était exprimé alors que lui-même pensait que le navire allait sombrer. Les rats avaient interrompu leur va-et-vient, et Robert savait que c'était mauvais signe. Mais le garçon semblait avoir été rasséréné par le ton de sa voix, et, par la suite, il ne parla pratiquement plus.

Ils se dirigèrent vers le cheval blessé.

L'animal était sur le ventre — essayant de se mettre debout malgré les mouvements du navire — sa patte brisée étendue derrière lui, l'os perçant la chair. Robert s'efforça de ne pas la voir.

Le regard du cheval était tourné vers eux — blanc d'effroi dans la lumière de la lanterne. Il hennit et essaya une fois encore de se lever, mais en vain : sur les plaques de métal, ses sabots ne pouvaient trouver le moindre point d'appui.

Dans sa panique, Robert se sentait incapable de bouger. Pourtant, il savait que le moment était venu de montrer son courage et ses compétences d'officier. Plus tard, dans quelque bureau d'état-major, quelqu'un consignerait tout cela par écrit : « Le lieutenant Ross a agi comme ceci et comme cela. Il a fait preuve de sang-froid (ou non). Il s'est rapidement rendu maître de la situation (ou non). Il a donné la preuve de son efficacité (ou non). *God save the King.* »

« Mon lieutenant, commença Joyce, avant de tirer, peut-être qu'il vaudrait mieux écarter les autres chevaux. Sinon, le coup de feu va les affoler. »

C'était en effet la première chose à faire, et ils entreprirent de détacher les chevaux enfermés avec le blessé pour les conduire dans le passage situé de l'autre côté.

Ce travail une fois terminé, l'adjudant-chef dit : « Mon lieutenant, c'est à vous, maintenant », et il alla se placer à gauche de Robert, tandis que celui-ci dégainait son pistolet. Malgré lui, Robert songea à quel point il était ridicule de tuer un cheval avec un colt. Il se tenait debout, les jambes écartées, luttant contre l'envie de fuir. Il sentait peser sur lui le regard de Joyce. Brusquement, il réalisa qu'il ne savait où il devait tirer. Robert allait poser la question lorsqu'il se souvint qu'enfant il avait vu quelque part la photo d'un cow-boy abattant un cheval, son arme pointée juste derrière l'oreille. Cette image resurgie du passé lui dictait avec précision ce qu'il avait à faire.

Robert s'avança vers la bête, le pouce retenant le chien du revolver. Il se baissa, et le cheval tourna la tête dans sa direction, les yeux levés vers lui.

«À votre place, je ne m'approcherais pas trop, conseilla l'adjudant-chef. Il risque de bouger.»

Robert fit un pas de côté et se figea au garde-à-vous.

Il visa. Son bras tremblait. La sueur lui brûlait les yeux. Pourquoi n'envoyait-on personne pour le retenir — pour l'arrêter?

Il tira.

Dans son esprit, une chaise tomba.

Il ferma les yeux, puis les rouvrit.

Devant lui, l'air était rempli d'étincelles. Mais le cheval n'était pas mort. Il se traînait en direction de l'adjudant-chef, qui s'écarta calmement, les mains derrière le dos. Regis s'était précipité vers les chevaux parqués derrière eux et s'efforçait de les calmer en les tenant par le licou.

À nouveau, le cheval essaya de se relever. Robert arracha sa casquette — meurs, bon sang! meurs donc! «Je n'y vois rien», dit-il. Il tremblait; sa voix vibrait de colère. L'adjudant-chef braqua le faisceau de sa torche sur le cheval couché à ses pieds. *Des serpents. Des serpents. Des serpents à sonnettes.* Sa crinière était un entrelacs de serpents à sonnettes. Sa tête battait contre le sol. Un bruit pénible sortait d'entre ses dents. L'adjudant-chef dit à Robert: «Faites vite, mon lieutenant. Soyez calme et faites vite.» Robert s'obligea à ouvrir les yeux:

il visa — et tira. Cette fois, la balle atteignit le cheval au garrot. Robert tomba à genoux. Il pouvait s'entendre respirer. Il tenait son arme à deux mains. Il appuya le canon derrière l'oreille de la bête et jura : *« Bon Dieu de bon Dieu — arrête. »* Ses genoux étaient mouillés. Il se mit en boule et appuya de toutes ses forces. Il pressa sur la gâchette, et pressa encore, encore et encore — jusqu'à ce que l'adjudant-chef vienne l'aider à se relever.

Puis l'enfer parut se déchaîner. Robert était debout à côté du cadavre encore frémissant. Derrière lui, les autres chevaux se cabraient et tiraient tant et si bien sur leurs licous que Regis tomba et faillit être piétiné. Mais l'adjudant-chef se précipita à son secours et l'emmena loin des bêtes en fureur, laissant Robert seul au milieu du vacarme. Et le vacarme, repris par l'écho et sans cesse renouvelé par le piétinement fou des chevaux, se répercutait à travers la coque du navire, s'enflant toujours, jusqu'au moment où, n'y tenant plus, Robert lança un coup de pied à sa casquette, qui vola dans la paille, et tourna les talons pour s'enfuir, les doigts encore crispés sur la crosse de son revolver.

Tandis que l'adjudant-chef montait chercher de l'aide, Robert et Regis attendirent dans les ténèbres de l'entrepont. « Est-ce que j'allume une lanterne, mon lieutenant ? demanda Regis. — Non, dit Robert. Pas maintenant. » En cet instant — et sans savoir pourquoi —, il n'aurait pas supporté que quiconque le vît. Il y eut un long silence embarrassé, que Robert interrompit enfin en disant : « Si c'était possible, sur ce damné bateau, ça me ferait plaisir de vous offrir un verre. » Mais Regis répondit : « Non, merci, mon lieutenant, j'ai promis à ma mère que je ne boirais pas. »

28

Peu après, la tempête se calma, et le soleil se leva dans un ciel sans nuage. Vers huit heures (on était donc mardi), le capitaine commença la manœuvre qui devait amener le navire au port. Les deux heures qui suivirent furent les plus terribles de toute la traversée, car maintenant on pouvait voir les rochers, et, bien que le vent fût tombé, les vagues demeuraient énormes, atteignant près de vingt pieds de hauteur. Par la suite, le premier officier du bord déclara au commandant du bataillon qu'en trente ans de navigation il n'avait jamais connu un pareil danger. Ils évitèrent les rochers de justesse. Tout à coup, le bateau tout entier éclata en applaudissements et en cris de victoire.

Tandis qu'ils s'engageaient dans le port, Robert et Regis se décidèrent à monter l'échelle. Cependant, le bateau fit une embardée, et Robert tomba. Regis revint sur ses pas pour l'aider; mais Robert, qui s'était déjà relevé, lui dit que tout allait bien. Et il le pensait. Il n'avait même rien senti.

Comme d'autres navires attendaient, le *S.S. Massanabie* resta plusieurs heures à l'ancre avant que des embarcations ne viennent décharger les troupes. Robert regagna sa cabine, où il trouva le capitaine Ord occupé à emballer ses livres. Il venait de terminer *With Wellington at Waterloo,* et offrit à Robert un gobelet de cognac. «C'est là qu'on va, nous aussi. Je veux dire... c'est pratiquement la même chose. Ypres est à peine à soixante milles de Waterloo. C'est plutôt rassurant, non...?»

Pourquoi? Robert aurait voulu le demander; cependant, il n'en fit rien. Il avait mal aux jambes. Il baissa son pantalon pour les examiner. «Bon Dieu! s'exclama Ord. Qu'est-ce qui vous est arrivé?» Robert lui raconta qu'il était tombé. Ses jambes étaient noires et ses pieds commençaient à enfler. S'il enlevait ses bottes, il craignait de ne pas pouvoir les remettre avant plusieurs jours. Mais le capitaine Ord se montra inflexible: il releva Robert de ses fonctions et l'envoya immédiatement à l'infirmerie. Il était inquiet: jamais il n'avait vu pareilles ecchymoses. Mais il n'en dit rien à Robert. Et c'est ainsi que Robert et Harris furent débarqués en même temps, et que débuta leur étrange amitié, qui devait se terminer en cendres. Ils quittèrent le *S.S. Massanabie* sur des civières, que l'on descendit dans une chaloupe selon un procédé analogue à celui dont on s'était servi pour monter les chevaux à bord — «dans une sorte de harnais».

Tandis que, du quai, où l'on avait déposé leurs civières, Robert regardait dans la direction du navire, il se redressa sur un coude, et, comprenant soudain ce qui était en train de se passer, il se leva pour aller s'appuyer contre le parapet. Tous les chevaux — qui sait comment? — étaient à l'eau et nageaient désespérément vers la rive.

«Qu'est-ce que c'est? demanda Harris.

— Viens voir», dit Robert.

Tous deux s'enveloppèrent dans des couvertures et allèrent s'asseoir sur le parapet, où, criant et gesticulant, ils se mirent à encourager les chevaux comme des fanatiques du football leur équipe favorite.

Cependant, les chevaux se dirigeaient vers l'endroit du rivage où les pêcheurs avaient entreposé leurs bateaux pour l'hiver. Des soldats les y attendaient avec des drapeaux, qu'ils agitaient au-dessus de leur tête comme des cow-boys à un rodéo, avant de les conduire vers la rue la plus proche. La scène attirait de nombreux spectateurs — massés sur les trottoirs ou penchés aux fenêtres, sortant précipitamment des maisons, des magasins et des cafés — qui tous criaient: «Des chevaux! Des chevaux! Des chevaux!» Des enfants s'élançaient dans la rue pour toucher les queues et les crinières, puis couraient se mettre à l'abri dans un charivari de piaillements et de rires — tous levant haut la tête et les mains sous les lames de pluie ruisselante qu'allumait le soleil sur la croupe des bêtes.

Lorsque les chevaux eurent disparu, Harris se recoucha et se tourna sur le côté. Mais Robert attendit, curieux. Il espérait autre chose — il ne savait pas quoi. Cependant, Clifford vint bientôt lui dire de retourner sur son brancard afin qu'on puisse le transporter avec Harris jusqu'au train qui devait les emmener. Par la suite, lorsque Robert résuma la traversée à l'intention de ses parents, il écrivit tout simplement:

«Enfin nous sommes arrivés! Le voyage a été terrible. J'ai attrapé un rhume, dont le docteur a craint qu'il ne dégénère en bronchite. Nous avons eu tempête sur tempête. On m'a confié la garde des chevaux. L'Angleterre est noire d'un bout à l'autre. Pendant des heures, nous roulons dans les ténèbres sans voir une seule lumière. Mais je crois que vous aimeriez l'endroit où nous sommes. C'est le Kent. Il y a une grande maison que la campagne entoure de toutes parts, et, plus bas, au pied de la falaise, une vieille ville aux couleurs pastel.

«*P.S.*: Pensez-vous pouvoir m'envoyer l'automatique bientôt? J'en ai très envie. D'après l'adjudant de notre batterie, les meilleurs sont les webley 0,455. Il prétend qu'ils sont d'un maniement très agréable et tuent à cinquante verges. »

29

L'unique frère de Mrs. Ross — prénommé Monty Miles — s'était fait tuer le long de Shuter Street alors qu'il revenait chez lui. Il y avait de cela bien longtemps, puisque à l'époque Mrs. Ross n'était pas encore fiancée. Partout, Monty Miles Raymond était le préféré. Toutes les jeunes filles en étaient amoureuses, et tous les jeunes garçons voulaient se lier d'amitié avec lui. Il portait des costumes marron, des guêtres et une canne. Qu'il aille au travail ou qu'il en revienne, il n'arrêtait pas de siffler. Un jour, pourtant, un tramway avait déraillé et l'avait écrasé. Le deuil s'était prolongé durant des années. « Monty Miles, vous vous souvenez?... » Et tout le monde éclatait en sanglots. Aujourd'hui encore, Miss Davenport ne pouvait évoquer sans larmes la façon dont il descendait la rue, sa canne sur l'épaule. Désormais, le monde était plein de tramways, et dans tous ses rêves Mrs. Ross entendait le grincement de leurs freins et les voyait sortir de leurs rails. Elle se mit à porter des lunettes afin qu'on ne voie pas ses yeux. Miss Davenport quitta le 74, St. George, pour aller s'installer au dernier étage du 39, South Drive. Mr. Ross se montrait plein de sollicitude. Il était prêt à faire n'importe quoi pour sa femme — mais sa femme ne voulait rien, sinon qu'on la laisse assise dans un coin, à attendre le retour de Robert.

Lorsqu'il avait appris que Robert était sur le point de partir outre-mer — comme ça, sans autre commentaire —, Mr. Ross avait remué ciel et terre pour découvrir à quel endroit il lui serait possible de rejoindre le train qui transportait la troupe. Il voulait ainsi offrir à sa femme la possibilité de voir une dernière fois son fils. Par ailleurs, il ne pouvait concevoir qu'aucun des siens s'en aille sans qu'on lui dise adieu — tout, mais pas ça. Ainsi, grâce aux pressions qu'il avait exercées sur les relations qu'il possédait au sein du gouvernement, Mr. Ross finit par obtenir le renseignement désiré ; il pourrait voir son fils à Montréal. Sa femme et lui montèrent donc dans leur wagon privé et voyagèrent toute la nuit. Mrs. Ross pria son mari de lui faire la lecture. Il lui lut *Huckleberry Finn*. Le matin, une fois arrivés à Montréal, Mrs. Ross enfila sa robe opale et se mit à sa coiffure. Elle ne pouvait se voir dans le miroir et laissa tomber quantité d'épingles. Finalement, elle décida qu'elle porterait un chapeau de fourrure, grâce auquel personne ne s'apercevrait qu'elle n'avait pas pu se coiffer comme elle le désirait. Elle passa ensuite dans le salon, où elle s'installa dans un fauteuil, les jambes repliées sous elle, puis but le tiers d'une bouteille de scotch. Lorsque Mr. Ross vint lui annoncer qu'il était temps de partir, elle se leva — et s'effondra. « Je ne peux pas », dit-elle. Ses jambes s'étaient engourdies. Cependant, Mr. Ross avait décidé qu'il irait — même seul. Outre le colt, enfermé dans son coffret de bois, il avait apporté pour son fils un panier rempli de provisions, et il tenait à lui remettre ces cadeaux de la main à la main. Il partit donc pour aller retrouver Robert — après quoi, il resta sur le quai à faire signe, tout en espérant que sa femme finirait par venir le rejoindre. Mais Mrs. Ross s'était contentée de se mettre à la fenêtre du wagon. L'idée de sortir l'effrayait. Son esprit était plein de tramways, et elle savait que, si elle essayait de traverser les voies, elle et tout le monde se feraient écraser. Ainsi demeura-t-elle derrière la vitre, d'où elle vit s'ébranler le train qui emportait son fils, tandis que son mari, engoncé dans un manteau de fourrure noir, agitait interminablement la main sous les flocons de neige. *« Reviens vite au radeau, Huck chéri. »* C'était donc ça qu'on appelait *la guerre.*

30

Semaine après semaine, non sans une certaine préciosité, Robert écrivait à MR ET MRS THOMAS ROSS, 39 SOUTH DRIVE, TORONTO, CANADA, ainsi qu'à MISS MARGARET ELIZABETH ROSS et à MASTER STUART MONTGOMERY ROSS, sans parler des cartes de l'armée qu'il lui arrivait d'adresser à BIMBO ROSS, son chien.

Toutes ces lettres, soigneusement pliées et attachées ensemble, étaient rangées dans un coffret de laque rectangulaire, à côté du cadre d'argent de l'icône, silencieuse et bottée, de ROBERT ROSS, SOUS-LIEUTENANT, ARTILLERIE DE CAMPAGNE, sur la table de noyer du salon.

Le coffret lui-même était capitonné de velours — d'un velours rouge qui, depuis peu, virait au marron.

Les lettres à MARGARET ELIZABETH ROSS, Peggy les gardait dans sa chambre, dans un tiroir strictement réservé à sa correspondance, où elles voisinaient avec celles que lui envoyaient Clifford Purchas, Roly Powell, Garnett Hughes et Clinton Brown de Harvard. On essayait toujours, avec le même insuccès, d'amener Bimbo à retrouver l'odeur de son maître parmi les innombrables empreintes que portaient les cartes qui lui étaient destinées. Quant à Master Stuart, il faisait de ses lettres de petits avions de papier qu'il lançait, page après page, du toit de la maison, et qu'il regardait disparaître dans les broussailles du ravin en accompagnant leur vol de *rat-a-tat-tat! Boum! boum! Rat-a-tat-tat! Boum! boum! biaaaoum!* Il en conserva toutefois quelques-unes pour les échanger à l'école contre d'autres souvenirs de guerre que recevaient des camarades qui, comme lui, avaient un frère plus âgé de l'autre côté de l'Atlantique. Mais seules étaient négociables les lettres postées en France. Il fallait qu'elles sentent la poudre.

DEUX

1

De cette scène, il n'y a de bonne image que celle qu'on peut former dans son esprit. Aux deux extrémités, la route se perd dans la pluie. La perception qu'en a Robert est limitée par le brouillard et la fumée. De part et d'autre, les fossés sont pleins d'une eau tiède. Tout est gorgé d'humidité. Un brin d'herbe ne flotterait pas. Quarante chevaux suivent Robert, dont un sur cinq porte un homme. Seul, le premier cavalier est visible. Loin derrière, sept voitures attelées à des mules transportent les munitions. Robert commande le convoi. Il est arrivé en France le 24 janvier 1916, il y a exactement un mois et deux jours.

Au centre du monde, il y a Ypres, et, tout autour, la plaine des Flandres. Derrière — c'est-à-dire au sud-ouest — se trouve l'unique repère géographique digne d'être mentionné : le Kemmel. Il a une altitude de trois cent cinquante pieds. C'est le point le plus élevé de toute la Belgique. À l'est et au nord, s'étend une crête qui, partout ailleurs, serait anodine. Mais, ici, c'est pour elle qu'on se bat. Jusqu'à présent, les Allemands en sont restés les maîtres, et près de deux années de lutte n'ont pas réussi à les en déloger. La plaine où se trouve Ypres s'avance comme un bras tordu tout à travers l'Europe, de la Russie à la frontière de l'Espagne. C'est la seule route vers l'ouest et la France que ne coupe aucune montagne (à l'époque de Napoléon, c'était aussi la seule route vers l'est). Et, depuis le temps de César, on avait choisi ce couloir comme champ de bataille en raison même de son absence de relief. Toutes les grandes armées de l'histoire moderne l'avaient foulé et en avaient connu la boue.

La boue. Nulle part il n'y en a de pareille. Le mot « boue » doit être un mot flamand. C'est en Flandre que la boue a été inventée, et le pays pourrait tout aussi bien s'appeler « Bourbier ». Le sol a la couleur de l'acier. Sur la plus grande partie de la plaine, on ne voit pas trace d'humus : seulement de l'argile et du sable. Les Belges appellent ces étendues des « clyttes », et les clyttes deviennent pires à mesure qu'on approche de la mer. La charrue y rencontre l'eau à moins de dix-huit pouces. Lorsqu'il pleut (et, entre septembre et mars, la pluie n'arrête pratiquement pas de tomber, sinon pour faire place à la neige), l'eau remonte à la surface. Les empreintes de pas deviennent alors autant de sources, et le passage d'une armée crée une inondation. En 1916, maints hommes et maints chevaux disparurent ainsi, absorbés par la boue, engloutis dans des tombes qui s'étaient creusées d'elles-mêmes.

Partout, cette boue et cette eau étaient corrompues par le fumier, les détritus et les cadavres qui s'y décomposaient. Et lorsque les rivières et les canaux ne pouvaient plus être contenus, leurs flots se déversaient dans les clyttes déjà saturées de pluie.

Des maisons, des arbres et des champs de lin s'étaient pourtant épanouis au même endroit sous le soleil de l'été. Mais ce n'était plus maintenant qu'une vaste mer puante et grisâtre — et c'était là que se livrait la guerre.

2

Parfois, les routes étaient bombardées. Rien n'est pire que d'être bombardé dans les ténèbres. Aussi, l'astuce consistait à ne pas s'inquiéter du retard, et, le soir venant, de se soucier d'abord de trouver une grange ou une maison abandonnée pour y passer la nuit. Il était vain de courir pour chercher un abri, car, dans l'obscurité, courir signifiait à coup sûr la noyade.

La destination de Robert était un endroit dénommé Wytsbrouk, que sa population civile avait complètement évacué, et qui abritait désormais l'intendance des 18e, 19e et 20e batteries de la 5e brigade. Le front ne se trouvait guère qu'à un mille de là.

Ils venaient de Bailleul, qui, pour les hommes, marquait la fin du monde civilisé. Il était encore possible d'y dormir à l'hôtel — quoique les occasions fussent rares —, et il s'y trouvait une vaste école de jeunes filles, maintenant désertée, où la troupe était souvent logée. Aux abords de la ville, il y avait un asile d'aliénés (dont

Van Gogh avait été le pensionnaire) où les officiers allaient prendre leur bain dans de vieilles baignoires de zinc, sous de hautes fenêtres qu'obscurcissait un siècle de poussière et de toiles d'araignées. On avait surnommé l'endroit *Asile désolé**, parce qu'il avait été victime d'un bombardement au cours d'une guerre précédente; mais en réalité il s'appelait *Asile d'aliénés aux Bailleul et Ploegbeke**. Les noms de lieu étaient soit français, soit flamands — plus flamands et plus difficilement prononçables à mesure que l'on approchait d'Ypres. Ce même matin, Robert avait d'ailleurs connu son premier problème linguistique. En effet, il avait été interpellé par un paysan qui avait perdu ses vaches et le soupçonnait de les avoir réquisitionnées pour ses hommes. Il était furieux. Il parlait le flamand, et, tout d'abord, Robert n'avait strictement rien compris. Devant l'agitation de son interlocuteur, il avait même cru un moment avoir affaire à un malade échappé de l'asile.

Lorsque, après avoir débité son histoire, le paysan s'aperçut que Robert n'avait pas compris, il recommença en français. Robert sut que c'était du français parce qu'il reconnut le mot *vaches*; mais, sinon, il ne comprit pas davantage qu'avant.

«*Can't you speak English?*» demanda-t-il poliment.

Ce n'était pas la chose à dire. Aussitôt, les cris de l'autre redoublèrent:

«Enklesch! Enklesch! *Vous êtes anglais? Maudit Anglais*!*»

Ne sachant trop que faire, Robert tira sur la bride de son cheval et s'éloigna. Mais l'autre le poursuivit.

* En français dans le texte

«Maudit Anglais! répétait-il. *Tous des assassins*!»* Il enleva son chapeau et le lança après Robert.

Tout ce que comprit ce dernier, c'est que le paysan l'accusait d'un crime qu'il n'avait pas commis; et il pensa que, s'il parvenait à se faire connaître, il réussirait du même coup à démontrer son innocence. Robert réunit donc les seuls mots qu'il connût dans une langue étrangère et se retourna pour expliquer: *«Monsieur, je ne suis pas anglais. Je suis canadien*!»*

Ces mots retentirent dans le brouillard.

Mais sans beaucoup d'effet.

L'homme regarda Robert d'un air ahuri, cracha et maugréa une dernière fois: *«Maudit Anglais*!»* Sur quoi, il ramassa son chapeau et s'en fut.

Ma foi, se consola Robert, j'ai fait ce que j'ai pu.

3

Le clairon Willie Poole, son ordonnance, chevauchait à côté de lui. Le titre de clairon était tout à fait démodé et ne correspondait pas à grand-chose; mais on le donnait parfois à des hommes dont l'âge était incertain, et qui, en d'autres temps, auraient pu être petits tambours. Cependant, Willie Poole était fier de son titre, car, de fait, il jouait du clairon. «Pourquoi est-ce que vous ne demandez pas à être versé dans la fanfare? lui avait un

* En français dans le texte

jour demandé Robert. — Eh bien, parce que, si j'étais dans la fanfare, je ne serais pas ici», lui avait répondu Willie. Pour lui, rien n'était compliqué. Il portait son clairon dans le dos, retenu par une ficelle. Contrairement à Regis, il n'était pas trop jeune pour être dans l'armée — mais il en avait l'air. Willie avait dix-neuf ans, de même que Robert, mais il était imberbe, et sa voix n'avait pas encore tout à fait fini de muer. Il était couvert de taches de rousseur et avait des cheveux couleur sable. Il avait été affecté au service de Robert deux jours après que ce dernier fut arrivé en France, alors que son précédent officier venait d'être tué sur le pas d'une porte où il était sorti pour «respirer un brin». Apparemment, l'air pur ne lui avait pas réussi.

«Est-ce que vous vous souvenez d'une grange ou d'une maison où on pourrait passer la nuit? lui demanda Robert.

— Non, mon lieutenant, répondit Poole. Mais je pourrais aller en avant voir si je trouve quelque chose.

— Certainement pas, répliqua Robert. Il n'est pas question que qui que ce soit aille en avant.» Il se retourna sur sa selle. «Je commence d'ailleurs à me demander s'il y a toujours quelqu'un *derrière*. On devrait peut-être s'arrêter et attendre que les autres nous rattrapent...

— En ce cas, si vous n'y voyez pas d'inconvénient, je vais en profiter pour descendre.»

Robert acquiesça.

Poole lui confia les rênes de sa monture et sauta à terre. À peine eut-il fait quelques pas que sa silhouette commença de s'estomper dans l'épais brouillard vert. Dans l'air flottait une odeur que Robert ne parvenait pas à identifier.

« Qu'est-ce que ça sent ? demanda-t-il.

— Le chlore », répondit Poole. Il tournait le dos à Robert, et les pans de sa capote lui faisaient comme des ailes. Robert l'entendait uriner dans l'eau du fossé.

« Est-ce que ça signifie qu'une attaque aux gaz se déroule sur le front ? » C'était là quelque chose que Robert ne connaissait pas encore, alors que Poole en avait déjà fait l'expérience deux fois.

« Non, mon lieutenant. Mais, par ici, le sol en est tout imprégné. Il y en a même qui prétendent qu'une poignée de terre — si on peut appeler ça de la terre — en contient assez pour mettre quelqu'un knock-out.

— Je le crois volontiers », rétorqua Robert. L'odeur était irritante — comme si quelque mystérieuse présence hantait le brouillard, comme le dragon d'une fable. Et Poole avait raison : le terrain était saturé de gaz. Le chlore et le phosgène étaient déjà tous deux couramment employés, tandis que le gaz moutarde restait encore à venir.

Ils furent enfin rejoints par le premier cavalier et ses quatre chevaux. Les bêtes étaient nerveuses. Aussitôt arrêtées, elles couchèrent les oreilles et commencèrent à s'agiter.

Robert lui-même resta en selle, mais il ordonna au cavalier de mettre pied à terre. Il était énervé. Il ne savait pourquoi. Ils attendirent.

Poole revint en se boutonnant. Ils restèrent cinq bonnes minutes sans échanger un mot — Robert sur sa monture, penché en avant pour reposer les muscles de son estomac, et les deux hommes à proximité, s'occupant des chevaux. Le brouillard était plein de bruits. Mal définis, sans profondeur. Il semblait que la distance n'existât plus.

« Et si l'on s'était trompés de chemin ? » hasarda soudain Poole, à qui sa naïveté permettait de faire ce genre de remarques même à un officier...

Robert songea qu'en effet la chose était possible. Mais il n'en dit rien. En revanche, il demanda aux autres ce qu'ils pensaient des bruits qu'ils entendaient.

« C'est des oiseaux », affirma Poole. L'autre ne répondit rien.

« Ça m'étonnerait qu'il y ait encore des oiseaux vivants par ici », rétorqua Robert.

Mais, au moment même où il disait cela, quelque chose s'envola du fossé.

Les chevaux tressaillirent, et l'un deux renâcla. Robert se dressa sur ses étriers pour essayer de voir de quoi il s'agissait. Le mouvement continuait. Tout un vol de quelque chose — mais de quoi ? De canards ? Comment se faisait-il qu'ils aient attendu si longtemps pour se manifester ?

« Je me demande bien ce qui peut retarder les autres, dit Robert. Vous, allez voir ce qui se passe.

— À vos ordres, mon lieutenant.

— Poole et moi, nous attendrons ici. »

L'homme se remit en selle.

« Poole, donnez-moi votre clairon.

— À vos ordres, mon lieutenant. »

Poole lui tendit son instrument.

« Prenez-le avec vous, dit Robert en le passant à l'estafette. Tout en marchant, vous compterez, et, à chaque fois que vous arriverez à cinquante, vous soufflerez dedans — peu importe comment, pourvu que ça fasse du bruit. Essayez tout de suite, qu'on voie ce que ça donne. »

L'homme porta le clairon à ses lèvres et émit un son

discordant. Aussitôt, l'air s'emplit de bruissements d'ailes — des ailes palpitantes, s'élevant de quelque mare invisible pour mêler leurs frémissements au souffle du vent. Robert frissonna. On ne distinguait rien, sauf l'ombre du mouvement.

« C'est bon, allez-y, dit Robert. Et ne vous pressez pas — soyez prudent.

— À vos ordres, mon lieutenant. »

L'homme fit demi-tour et disparut immédiatement.

À voix basse, Robert compta jusqu'à cinquante. Poole également.

On entendit une sonnerie étouffée.

« Ce n'est pas encore tout à fait ça, railla Poole.

— Ne vous moquez pas, dit Robert. Vous verrez que d'ici une semaine ou deux, cet homme jouera aussi bien que vous... »

Ils essayaient de plaisanter, mais le cœur n'y était pas. Il devait s'être passé quelque chose d'anormal, peut-être quelque chose de grave. Tous deux en avaient conscience, mais ils ne savaient pas comment l'exprimer. En fuyant, les oiseaux avaient emporté une mystérieuse présence, remplacée par un vide — le vide presque palpable d'un monde déserté.

Robert se pencha sur l'encolure de son cheval. C'est à peine s'il voyait encore Poole. Il avait froid. Jamais il n'avait eu si froid. Sa capote était détrempée. On eût dit que la pluie s'était mise à bouillir pour se transformer en vapeur — à part que la vapeur était glacée. Robert essaya de se souvenir à quoi cela ressemblait de prendre un bain bouillant. Il en fut incapable.

Ils attendaient.

À intervalles réguliers, la trompette gémissait, toujours plus lointaine. À nouveau, Robert entendit des bruissements d'ailes. Les oiseaux revenaient. Puis il y eut comme un clapotis, et ce bruit — slap, slap, slap — lui rappela celui que faisait le radeau amarré au large de Jackson's Point dans les vagues du petit matin. Quelque chose flottait sur l'eau. Mais il ne voyait rien que la silhouette de Poole, la croupe et la tête des chevaux. La pluie avait cessé. Parfois, un souffle glacé traversait le brouillard, porteur d'une odeur âcre, pénétrante, de cendre et de fumée. La trompette s'était tue.

Poole ramena les chevaux à proximité de Robert. Peut-être en se groupant allait-on pouvoir se réchauffer un peu. Aucun des deux hommes ne parla. Les chevaux refusaient de se tenir tranquilles. Les bruits d'ailes les avaient effrayés.

« Quel genre d'oiseaux pensez-vous que ce soit ? demanda Robert.

— Je ne sais pas, dit Poole. Des cigognes.

— Allons, soyez sérieux.

— Mais je le suis, protesta Poole. Je regrette, mon lieutenant, mais, pour l'instant, je n'arrive pas à penser à quoi que ce soit d'autre qu'à des cigognes. J'ai tellement froid… »

Des étourneaux, songea Robert ; l'hiver, ils ne s'en vont pas. Non — ces oiseaux-là sont plus gros. Des canards. Ça doit être des canards. Ils volent en direction du nord, et, comme il leur faut un endroit où se reposer, ils ont choisi ces champs. C'est ça. Ils se reposent.

Le clairon retentit. Proche. Très proche.

La surprise fit sursauter Poole.

« Oh… éééé ! cria Robert. C'est parfait, ajouta-t-il à l'intention de Poole. Ils arrivent. Oh… éééé ! »

Le clairon répondit.

Robert et lui échangèrent ainsi différents appels, après quoi une voix retentit dans le brouillard.

« Ne bougez pas, dit-elle.

— Entendu, on ne bouge pas », asquiesça sombrement Robert.

Poole s'était arrêté de trembler.

« Qu'est-ce qui se passe ? souffla-t-il.

— On va le savoir », répondit Robert.

Tous les deux se tournèrent vers l'endroit d'où venait la voix. Enfin, un homme émergea du brouillard. Il marchait tête nue, le col de son manteau relevé. Ce n'était pas l'estafette de tout à l'heure.

« Où est votre cheval ? commença Robert. Et qui êtes-vous ?

— Moi, fit l'autre.

— Qui ça, *moi* ?

— *Moi*, Levitt. »

Levitt était un officier subalterne qui s'était joint au convoi le matin même à Bailleul. Il venait d'arriver d'Angleterre.

« Et où est l'autre ? reprit Robert. Qu'est-ce que vous faites à pied ? Jamais vous n'auriez dû venir jusqu'ici sans cheval ! » Il était furieux. Levitt était censé fermer la marche ; et le fait qu'il eût abandonné son poste signifiait qu'à l'arrière il n'y avait plus désormais d'officier pour surveiller les voitures, alors que deux d'entre elles transportaient du rhum.

« Je suis désolé, dit Levitt, mais il a bien fallu que je vienne. L'autre était complètement trempé. Son cheval et lui...

— Qu'est-ce qui s'est passé ? l'interrompit Robert.

— Ils ont dû traverser la digue.

— Quelle digue ?

— *Celle-ci.*»

Robert fronça les sourcils. Levitt le dévisageait à travers le brouillard. Robert regarda par-dessus son épaule. Les oiseaux...

«Je ne sais pas exactement où, expliqua Levitt, mais il y a un endroit où vous vous êtes trompé de route. Vous avez pris par la digue — et la digue est en train de s'effondrer.»

Robert s'aperçut que son interlocuteur était lui aussi trempé jusqu'aux os.

«L'idée d'envoyer un des hommes ne me plaisait pas trop, poursuivit Levitt. Ils ont déjà assez de travail avec tous ces chevaux. J'ai donc décidé de venir moi-même. Le caporal me remplace.

— C'est bien, dit Robert. Je vous remercie.» Au moins Levitt ne manquait-il pas de sens pratique. «Voyons maintenant où nous en sommes.» Robert s'efforçait de ne pas trembler — de s'exprimer sur le ton autoritaire et impassible qu'il croyait devoir convenir à son grade.

Levitt expliqua qu'à cent ou cent cinquante verges de là, la digue s'était rompue. Lorsque l'estafette l'avait traversée, la brèche n'avait guère que six pieds. Lorsque à son tour Levitt l'avait franchie, elle en avait déjà plus de dix. Maintenant, elle s'était sans doute encore élargie et pouvait avoir entre quinze et vingt pieds.

Robert s'en voulait beaucoup d'avoir pris le mauvais chemin; mais il s'efforça de n'y pas penser — il aurait tout le temps d'y revenir plus tard. Pour le moment, il fallait se sortir de ce mauvais pas. Et, avec leurs six chevaux, ça n'allait pas être facile.

Levitt rendit son clairon à Poole et le remercia. «J'étais bien content de l'avoir, dit-il. C'est vrai: j'ai pensé que, si les Allemands m'entendaient, ils n'oseraient pas tirer sur moi, avec ce clairon. » Il rit nerveusement. « Du clairon, n'importe qui peut en jouer.

— Les Allemands ne risquaient pas de vous entendre, répliqua Poole. Ils sont au moins à deux milles d'ici.

— Ah bon ! » fit Levitt.

Cette nouvelle parut l'assombrir. Peut-être que, pour lui, la guerre n'existait pas aussi longtemps que l'ennemi était trop loin pour vous tirer dessus. En cela, il ressemblait à tous ceux qui venaient d'arriver. Pour être un vrai soldat, il fallait avoir reçu le baptême du feu.

4

Robert marchait en tête. Il était resté en selle, sachant que le pas de sa monture était plus sûr et plus sensible que le sien. Son père lui avait enseigné à faire toujours confiance au jugement de son cheval de préférence au sien lorsqu'il s'agissait de trouver un chemin.

Le vent s'était renforcé. Par endroits, le brouillard se levait. La forme de la digue était désormais perceptible — aussi large qu'une route ; mais les fossés n'en étaient pas. Sur la droite, coulait une rivière ou un canal, tandis qu'à gauche, il devait y avoir des champs, bien qu'on ne les vît pas encore. En fait, comme en témoignaient les traces de pas et de roues, la digue devait également servir de route.

L'un des oiseaux passa soudain devant Robert. Son cheval broncha. Robert eut du mal à le maîtriser.

« Allons, allons, allons, dit-il. Mais oui, mais oui, mais oui. » La bête se tourna d'un côté, puis de l'autre. Robert serra la bride.

Il se ramassa sur la selle, penché en avant pour mieux voir. Le cheval refusait d'avancer. « C'est bon, dit alors Robert à haute voix. Si tu ne veux pas y aller, j'irai seul. »

Il mit pied à terre et calma sa monture en lui caressant l'encolure. Puis il la laissa et s'avança seul dans le brouillard. Poole l'appela. Robert se retourna pour lui crier de l'attendre avec son cheval jusqu'à ce qu'il eût trouvé la brèche. Il fit quelques pas, puis se retourna encore et les vit groupés tous ensemble — Poole, Levitt et les chevaux. Après quoi, le rideau retomba et ils disparurent à sa vue.

Robert s'arrêta pour écouter. Il finirait bien par entendre quelque chose. Un bruit d'eau — de chute d'eau.

Dans le lointain, il y eut une détonation.

Le canon.

Mais il aurait dû l'entendre derrière lui, alors que le bruit venait de l'avant, légèrement sur la droite. Comment avait-il pu se laisser désorienter à ce point ?

Il tâta le sol du talon. Toujours de la boue et de la neige fondue — de la neige comme du verre pilé. Le brouillard s'épaissit à nouveau. Il était plein de silhouettes qui agitaient les bras. Puis Robert entendit quelque chose. Un bruit d'eau. Le bruit d'une écluse qui se vide. Il avança dans sa direction. Soudain, son pied droit se déroba, et sa jambe disparut dans la boue jusqu'à la hauteur du genou.

Seigneur..., il allait se noyer. Il s'enfonça lentement jusqu'à la ceinture.

Robert se laissa aller sur le dos. Pour se retenir, il

n'avait rien d'autre que ses coudes. Il les ficha dans la glaise comme des freins. La pente le portait en avant, de sorte que ses jambes étaient à la fois devant et sous lui. *Non, non,* pensa-t-il. *Non.*

Ses mains lui étaient inutiles. Pour s'en servir, il aurait dû dégager ses coudes, et alors il se serait enfoncé davantage. Il était immobile, la tête en arrière. La boue lui encerclait les reins. Son col lui écorchait la nuque. Il commençait à suffoquer.

Bien des gens meurent ainsi sans proférer un son — ils crient dans leur esprit et croient appeler au secours, mais personne ne les entend. Et pourquoi quelqu'un serait-il venu à l'aide de Robert, alors qu'il avait dit à ses hommes de l'attendre sans bouger? *Non* était le seul mot qu'il songeât à former, et encore restait-il bloqué dans sa gorge.

Robert poussa. De toutes ses forces, il tenta de dégager son bassin. Les muscles de son estomac étaient complètement noués. Si seulement il parvenait à se soulever! Derrière ses jambes, la boue faisait un bruit de succion. Le brouillard s'abattit comme un masque sur son visage. D'une façon ou d'une autre, il allait étouffer. À nouveau, il se mit à pousser, à s'arquer, portant par secousses son bassin en avant, luttant contre la boue. Il perdit son bonnet, et ses cheveux se trouvèrent livrés au brouillard et au vent. Sa tête retomba en arrière, puis son crâne s'enfonça dans la gadoue. Encore un effort, une nouvelle secousse, en avant, les fesses bandées et les genoux tendus... Mais voilà que ses genoux bougeaient, que son bassin bougeait... Lorsqu'il en prit conscience, une vague de chaleur l'envahit. Il allait être sauvé. Il allait pouvoir se sauver. Il s'assit. Ses bottes étaient toujours bloquées, mais ses hanches étaient libres. Robert voyait ses genoux. Il se mit à tirer sur ses jambes, à deux mains. Mais rien ne se passa. Absolument rien. Il se pencha en avant et essaya cette fois de tirer sur son pantalon. Ses gants étaient si gluants de boue qu'ils glissaient. Il les ôta. Puis il bloqua les mains sous son genou droit et commença à se balancer. Il se balançait d'un côté à l'autre et d'avant en arrière. Enfin, sa jambe bougea. Il joignit alors les mains sous son genou gauche et répéta la manœuvre. Maintenant, Robert avait les genoux sous le menton — ses jambes étaient dégagées jusqu'aux chevilles. Il se coucha sur le dos, puis se tourna sur le côté. Il tendit les bras au-dessus de sa tête et plongea ses mains dans la boue jusqu'à ce que ses doigts rencontrent un peu de terre solide où s'accrocher. Il tira en avant, les jambes tordues, tendues comme des cordes, et, après une brusque et violente secousse, il retomba de tout son long dans la boue. Libre. Libre dans un pied d'eau.

Il pouvait s'entendre respirer. Et gémir. Il ferma les yeux. Il ne voulait pas se noyer, songea-t-il. *Non, qu'il ne se noie pas.* Il se redressa, tête ballante.

Bientôt, sa respiration s'apaisa.

Il s'agenouilla, les poings sur les genoux. Il écouta. Il y avait quelque chose à côté de lui. Il le sentait.

Robert ouvrit les yeux et tourna la tête.

À travers le brouillard, il vit un homme, comme lui, en uniforme et en capote — couché à son côté. Il tournait le dos à Robert. Il bougeait — ou essayait de bouger. En lui, du moins, quelque chose bougeait. Slap, slap, slap: comme le radeau de Jackson's Point.

Robert se frotta les yeux.

Aussitôt, ils se mirent à piquer, puis à brûler. Le chlore, bien sûr. Robert ne voyait plus rien. Il se mit à fouiller dans ses poches à la recherche d'un mouchoir. Il percevait des bruits sans pouvoir les identifier. Des bruits de mouvement. Mais quoi. Qu'est-ce qui bougeait? L'homme avait-il réussi à se mettre debout?

Robert essayait désespérément de voir, mais ses yeux refusaient de s'ouvrir. Ils étaient inondés de larmes brûlantes et ses paupières semblaient incapables de se soulever. Il perçut pourtant un mouvement traversant l'air.

Une main tomba sur son épaule.

Robert la saisit. Des os et des griffes. Elle se retira. Robert frissonna. Les oiseaux...

Poole lança: «Mon lieutenant? Lieutenant Ross?»

Robert fit: «Ça va, ça va.» Puis, comprenant qu'il avait oublié d'élever la voix, il cria: «Ça va! Vous pouvez venir, maintenant.» Il mit son mouchoir sur les yeux et s'assit pour attendre. Des corbeaux. Cela n'avait jamais été autre chose que des corbeaux — avec des ailes comme des bras. comme des bras.

Lorsque Poole et Levitt l'eurent rejoint avec les chevaux, Poole l'aida à se relever, Robert lui dit:

«Il y a un homme, juste là. Je crois qu'il est mort.

— En effet, mon lieutenant.

— Vous pensez qu'on peut faire quelque chose? demanda Robert. Vous croyez qu'on devrait l'enterrer?

— Non, répondit Poole. Il vaut mieux ne pas s'attarder.» Il prit le bras de Robert.

Lorsqu'il put rouvrir les yeux sans difficulté, Robert se retourna pour regarder l'endroit où gisait l'homme. Il vit alors que le champ tout entier était plein de formes flottantes. Les seuls bruits que l'on entendait étaient des bruits d'ailes et de becs. Et des bruits de radeaux.

5

Robert reprit la tête — toujours à cheval.

La brèche de la digue avait maintenant une largeur d'environ trente pieds, par où la rivière s'engouffrait. Heureusement, le niveau de l'eau était désormais à peu près le même des deux côtés, de sorte que le courant n'était pas trop violent. Le cheval entra dans l'eau et se mit à nager. La profondeur dépassait neuf pieds. Robert sortit ses pieds des étriers. Il se coucha sur l'encolure de la bête, tenant sa crinière d'une main et, de l'autre, la bride des trois autres chevaux. Parfois, le courant forçait sa monture à se tourner sur le côté, et Robert sentait alors l'eau bouillonner le long de ses jambes — mais pour froide qu'elle fût, il en était content : elle le lavait, elle le débarrassait de la boue.

De l'autre côté, il pouvait voir les hommes qui composaient le reste du convoi réunis par groupes autour de divers feux. Se réchauffer. Il allait enfin pouvoir se réchauffer ! Cependant, il devait faire un effort considérable pour ne pas nager — pour laisser le cheval faire à lui seul tout le travail. C'était une étrange sensation que d'être ainsi dans l'eau, tout habillé, les genoux pressés contre les flancs de sa monture, les étriers flottant contre ses chevilles. Lorsqu'ils eurent atteint l'autre rive, dans le brusque élan qu'il prit pour monter à l'assaut de la berge, le cheval désarçonna Robert, qui se félicita d'avoir pensé à dégager ses bottes des étriers — autrement, il aurait été traîné sur le sol. Déjà, plusieurs paires de mains s'étaient emparées de lui, et il se retrouva bientôt nu, enveloppé dans une couverture, assis près d'un feu.

«Sortez le rhum», dit-il.

Poole était nu, lui aussi, et lui aussi emballé dans une couverture. Il prit son clairon, et tout le monde se mit à chanter: *«C'est parce qu'on est là qu'on est là.»* Ils campèrent ainsi au milieu de la route, et, peu après qu'ils se furent endormis, la neige se mit à tomber. Le matin, Robert évita de regarder en direction du champ où il avait failli se noyer. La colonne tortueuse des voitures et des chevaux s'allongeait devant lui, dessinée à l'encre de Chine sur le blanc glacé de la neige. Il donna le signal du départ et remonta toute la file sans lever les yeux de la route. Au-dessus de sa tête, un autre cortège se formait: les corbeaux s'apprêtaient à les suivre.

6

En fin de compte, le front n'était pas un endroit particulièrement original. Deux longues lignes parallèles de tranchées, avec chacune son réseau particulier de «fossés» de communication — un grand nombre de fermes en ruine et quelques villages. Depuis près d'une année, la situation restait sensiblement la même. La deuxième bataille d'Ypres avait eu lieu en avril 1915, et, depuis lors, la ville demeura aux mains des Alliés jusqu'à la fin de la guerre. C'est là que furent déployées la plupart des troupes canadiennes. Leurs objectifs étaient les villes et les villages, les collines et les bois, compris dans un rayon d'une dizaine de milles. C'était là du moins l'image de l'ensemble. Mais pour ce qui est des individus et de leur régiment, le monde ne dépassait guère les quarts de mille; et, dans le cas particulier de Robert, sa limite extrême se situait à Bailleul, c'est-à-dire en gros à quatre milles.

Cinq officiers subalternes (dont Levitt était le dernier en date) avaient été affectés aux munitions, et partageaient leur temps entre le convoyage et le travail de batterie, à raison de deux semaines avec les batteries pour une semaine en convois. Actuellement, Robert s'occupait des convois avec un certain Roots (c'était un Écossais qui ne cessait de se réjouir de la parenté phonétique que présentaient leurs noms, et qui amusait la galerie en lançant des phrases du genre « Rrrrrroots rrrrrrit et Rrrrrross rrrrrrâle ! » ou encore « Rorrrroots est rrrrrrusé et Rrrrrross est rrrrrracé ! »). Chacun d'eux avait la charge d'une section, c'est-à-dire de soixante-quinze hommes et de quatre-vingt-quinze chevaux. Chaque matin, à tour de rôle, ils se levaient à cinq heures quarante-cinq pour sortir les chevaux — exercice qui se doublait parfois de diverses corvées : transport de briques et de sacs de sable, de paille et de foin, déplacement de canons, etc. Les écuries étaient nettoyées tous les jours. Quand ça chauffait, l'alarme était donnée, et les colonnes se formaient pour le transport des munitions. L'importance de l'opération dépendait du temps de tir prévu. Si celui-ci devait durer deux heures, on ne rigolait pas. Par contre, une canonnade d'une demi-heure n'était rien d'autre qu'une *anicroche*.

De temps à autre, le ciel se remplissait d'aéroplanes. Les canons antiaériens entraient alors en action — mais

Robert n'avait rien à faire avec eux. Pourtant, les avions le fascinaient. Parfois, les « Huns » passaient juste au-dessus d'une ferme servant de logement ou de dépôt ; à une ou deux reprises, il leur arriva même de lâcher des bombes, mais sans occasionner de dégâts. Le tir des canons était autrement plus dangereux. Cependant, Robert s'émerveillait que ces fragiles appareils pussent traverser le feu nourri des batteries sans même être touchés.

Le 21 février, il se mit à neiger. Le même jour, les Allemands déclenchèrent sur la Meuse leur grande offensive contre Verdun, avec, pour objectif, de créer une « zone de mort » (ce en quoi ils réussirent : en août, ils avaient fait un demi-million de victimes). Durant cette journée, deux millions d'obus furent tirés, à une cadence horaire de cent mille salves. Le bombardement se prolongea durant douze heures. En même temps, on apprit que les « Huns » avaient lancé une attaque aux gaz contre le saillant d'Ypres. Le vent soufflait en direction du front, mais, après une course de cinq milles, il ne restait plus des gaz que le goût dont ils avaient imprégné les flocons de neige.

7

Le 21 était un lundi; la semaine où Robert était de convoyage se terminait le 26. Le dimanche 27, par un ciel sans nuage, Levitt et lui réintégrèrent la 18e batterie. Pour Levitt, c'était « une première », selon leurs propres termes. Ce jour-là, la lumière était si bonne que, du poste d'observation, on voyait clairement les lignes allemandes. Robert fut assez fier de pouvoir montrer à Levitt que l'ennemi était bien réel. Cela prêtait quelque importance à l'endroit que de pouvoir dire: « Tu vois, là-bas, le type avec l'écharpe bleue… », et raconter dans quelles circonstances vous l'aviez déjà vu. Cela donnait un certain sens à la guerre de savoir que les hommes sur qui vous tiriez (et réciproquement) portaient des cache-nez bleus ou des moufles grises tout comme vous.

Il n'y avait que deux sous-lieutenants par batterie, de sorte que, pour les affaires courantes, Robert et Levitt étaient leur propre chef. Chaque section passait une semaine dans les tranchées, après quoi une autre section venait la relever. Les hommes vivaient dans les abris.

Durant la semaine précédente, le combat n'avait pratiquement pas cessé; aussi, lorsqu'ils quittèrent le poste d'observation pour rejoindre leurs quartiers, découvrirent-ils qu'il ne restait presque rien des tranchées. La plupart des soldats qu'ils croisèrent en chemin n'avaient pas quitté leurs postes depuis maintenant seize jours, et ils étaient complètement exténués;

souvent, ils dormaient sur les gradins de tir, bouche ouverte, le fusil coincé entre les jambes.

Ils rencontrèrent en outre un Allemand qui était resté quatre jours couché dans le *no man's land* sans absorber la moindre nourriture ; il regardait le ciel, étendu sur une civière. Par ailleurs, ils virent un groupe de vingt-cinq déserteurs allemands qui s'étaient constitués prisonniers le matin même. Le fait que, dans ce secteur, la majeure partie des abris eussent été détruits constituait un sérieux problème. Il n'y avait nul endroit où l'on pût se coucher ni même s'asseoir, sinon dans la boue. Partout où les plates-formes de tir demeuraient intactes, elles servaient de lits aux dormeurs. Moroses et silencieux, les Allemands se tenaient debout sur un rang, et, lorsque Robert et Levitt passèrent derrière eux, aucun d'entre eux ne se retourna.

Comme le parapet avait été presque entièrement anéanti, ils durent parcourir les cent verges suivantes sous les regards de l'ennemi. Cependant, pas un seul coup de feu ne fut tiré, et Robert déclara : « On peut remercier nos anges gardiens ; l'état des Allemands doit être tout aussi piteux que le nôtre — ou pire, puisqu'ils désertent. Sinon, on aurait été canardés à chaque pas... — On ne pourrait pas marcher un peu plus vite ? demanda Levitt. — Surtout pas, rétorqua Robert. Ce serait le meilleur moyen de se faire tirer dessus. Tiens, dit-il. Regarde. »

Robert s'arrêta et se mit à gesticuler en direction des lignes allemandes. Rien ne se produisit. Il recommença. Toujours rien. Il cria : « Ohé ! là-bas ! » Encore et toujours rien. « Maintenant, tu vas voir », reprit-il. Et il se mit à courir. Aussitôt, un coup de feu éclata. Il se jeta par terre.

Au bout d'un moment, il se releva tout couvert de boue et dit en riant à Levitt. « Ça va, tu peux venir, maintenant. Mais, surtout, prends ton temps. »

Et ils continuèrent leur route.

Par miracle, leur abri était intact. De même que Devlin et Bonnycastle, les deux hommes qu'ils venaient relever.

Levitt fut présenté. Il ôta son sac à dos et le jeta dans un coin, le sac faillit heurter la porte.

« Attention! Bon Dieu, attention! s'écria aussitôt Devlin. N'abîme pas la porte! » C'était un garçon grand et mince, avec des moustaches tombantes et un front légèrement dégarni, bien qu'il n'eût pas plus de vingt-sept ans. Il avait tendance à tenir la tête légèrement en arrière, ce qui, à première vue, lui donnait un air supérieur que l'on pouvait prendre pour de l'arrogance ou de l'affectation. Mais Devlin ne possédait aucun de ces traits. Loin de là. Il était doux comme un agneau, et il n'avait d'autre ambition que d'ouvrir un magasin d'antiquités.

Levitt se demanda ce que la porte avait de si particulier pour qu'il fallût la traiter avec tant de ménagements. Après tout, une porte était aussi faite pour être claquée, ne fût-ce que de temps en temps. Cependant, il découvrit bientôt la clé du mystère: le panneau était orné d'un vitrail.

« C'est vrai que c'est beau, dit-il en s'approchant. Où est-ce que vous avez trouvé ça?

— Dans une maison de Saint-Éloi, répondit Devlin. Je collectionne. »

Et il lui montra trois ou quatre autres fragments, soigneusement enveloppés dans des bouts de tissu. Ils provenaient d'une église et dépeignaient *La fuite en*

Égypte (la tête de l'âne et celle de la Vierge), *Le Christ marchant sur les eaux* (les pieds et le bas de sa robe), et *Le martyre de saint Martin,* ce soldat romain dénoncé comme chrétien et mis à mort par ses camarades. De ce dernier, on ne voyait que le casque et l'épée, gisant dans une mare de sang.

« C'est très intéressant », commenta Levitt. Et il se retourna vers la porte pour regarder.

Bien que le vitrail vînt d'une maison privée, comme l'avait affirmé Devlin, il représentait un saint — ou du moins quelqu'un de suffisamment saint pour mériter une auréole. Le personnage — un homme barbu — était nu jusqu'à la ceinture et portait un tablier de cuir. Il travaillait à une forge et tenait entre ses tenailles un gigantesque « papillon ». Non seulement le papillon était grotesque, mais parfaitement saugrenu. On le voyait chauffé à blanc, au moment même où il sortait du feu.

« Qui c'est ? demanda Levitt.

— Saint Éloi en personne, répondit Devlin. Le patron des forgerons. C'est charmant, non ?

— Absolument », mentit Levitt, qui n'avait jamais rien vu d'aussi laid.

En regardant autour de lui, il constata que l'abri avait un aspect étrangement civilisé, puis remarqua, entre autres objets, un ange agenouillé et deux moutons de plâtre provenant manifestement d'une crèche.

« Vous êtes croyant ? demanda-t-il brusquement à Devlin.

— Pas le moins du monde. En fait, je ne crois qu'à la fragilité des choses, et, sous cet aspect, le verre a tout ce qu'il faut pour me plaire. » Il rit.

— « Pour l'amour du ciel ! Qu'est-ce que c'est que

ça ? demanda encore Levitt en s'accroupissant devant une petite cage métallique.

— C'est le crapaud de Rodwell, répondit Bonnycastle. Il ne faut pas y toucher.

— N'ayez crainte, rétorqua Levitt. Et qui c'est, Rodwell ? »

Robert aurait bien voulu le savoir, lui aussi. Jamais encore il n'en avait entendu parler.

« C'est notre invité, expliqua Bonnycastle. Je suis sûr qu'il vous plaira. Son abri a été démoli il y a deux jours, et il est venu nous demander asile. Comme il y a quatre couchettes et qu'en général on est deux, on lui a dit oui. J'espère que ça ne vous ennuie pas.

— Pas du tout, dit Robert. Avec qui est-ce qu'il est ?

— Une des batteries de Lahore, répondit Bonnycastle. Ils sont là depuis une éternité. Pratiquement depuis le début.

— Et si j'ai bien compris, il élève un crapaud ?

— Un crapaud, oui... » Bonnycastle regarda Devlin, et Devlin sourit. « Et pas mal d'autres choses. Mais regardez, là, sous la couchette... »

Robert regarda.

Il y avait toute une série de cages.

Rowena.

Il ferma les yeux.

« Qu'est-ce qu'elles contiennent ? demanda-t-il. On ne voit rien.

— Eh bien, des oiseaux, des lapins, des hérissons, des crapauds...

— Et pourquoi est-ce qu'il les met là-dessous, dans l'obscurité?

— Pour qu'ils se reposent. Ils sont tous blessés. C'est un peu comme un hôpital.» Les animaux ne faisaient pas le moindre bruit.

Robert se releva. «Et, maintenant, laissez-moi vous montrer que, des surprises, il n'y en a pas que du côté de Rodwell», commença-t-il. Et il se mit à vider sur la table le contenu de son sac. «Des œufs... deux douzaines. Du lait concentré... quatre boîtes...

— Des œufs — deux douzaines! jubila Devlin. Deux douzaines d'œufs! Je ne peux pas y croire!

— Des cigarettes... cinq cents, poursuivit Robert. Des pêches... quatre boîtes. Des bougies... quarante-huit. Du saumon... deux boîtes. Du chocolat Nestlé... *six tablettes.*» Il se retourna et regarda les autres d'un air triomphant.

«Il n'y a pas de vin?» s'inquiéta Bonnycastle.

Robert se remit à fouiller dans son sac.

«Du cognac... un litre!

— Du cognac — un litre! répéta Devlin. Robert — Robert: ton âme et ton cœur soient bénis!»

Il prit la bouteille et la contempla d'un œil appréciateur.

«Du cognac... un litre!

— Et ce n'est pas tout, reprit Robert. Poole va nous apporter le poulet.

— Non mais, Bonnie, tu entends? fit Devlin. Des pêches et du poulet — ça ne te fait pas plus d'effet que ça?» Bonnycastle avait une petite bouche ronde sur laquelle il posait souvent un index pensif. Un rien — une goutte de pluie — suffisait à le déprimer.

Cependant, Devlin s'était déjà retourné vers Levitt et lui demandait d'une voix impatiente :

« Et *toi*, qu'est-ce que tu ramènes ?

— C'est ça, voyons un peu ce qu'il y a là-dedans, renchérit Bonnycastle en tâtant le sac de Levitt. Voyons, voyons...

— Des livres, déclara Levitt.

— Quoi ? Des livres ? C'est ce que j'appelle de la place perdue ! » commenta Bonnycastle.

Devlin rejeta la tête en arrière — au risque de se heurter le crâne aux poutres du plafond — et éclata de rire.

« Bonnie, je t'en prie ! Tout le monde n'est pas comme toi. Un bon livre, ça fait plaisir, de temps en temps. Alors, Levitt, qu'est-ce que tu nous apportes ?

— *De la guerre*, de Clausewitz. »

Bonnycastle, Devlin et Robert le regardèrent d'un air incrédule.

« Enfin quoi ? dit Levitt en ramassant son sac. Il faut bien que quelqu'un sache un peu ce qui se passe, non ? »

8

Pour un abri, il faut dire que leur abri était plutôt grandiose ; et Levitt avait parfaitement raison en le jugeant civilisé. Il comprenait quatre couchettes, quatre tabourets, une chaise et une grande table. Des lanternes et des bougies placées sur des supports étaient accrochées aux poutres de soutien, et une grosse lampe pendait à une chaîne au milieu de la table. Dans un coin, il y avait un poêle avec une cafetière d'émail, et le sol était recouvert d'un tapis. Les livres de Levitt garnissaient maintenant le rayon fixé au-dessus de son lit, et l'ange agenouillé était placé dans un demi-cercle de bougies. Dans la cage, les animaux s'activaient — lustrant leur pelage ou leurs plumes. Les yeux du crapaud brillaient dans la lumière de la lampe. Rodwell se révéla être gras et austère comme un portrait du Dr Johnson, et son air revêche fit craindre à Robert qu'il n'eût bien mauvais caractère. Cependant, il était clair qu'il avait su se gagner la sympathie de Devlin et de Bonnycastle. Durant toute la première partie du repas, il ne trouva presque rien à dire — en dehors des mercis avec lesquels il accueillit la nourriture qu'on plaçait devant lui. Il semblait d'ailleurs l'apprécier sincèrement, ce qui fit très plaisir à Willie Poole, tant il est vrai qu'un cuisinier préfère toujours les compliments d'un étranger.

Comme ils étaient six à participer au «banquet» et qu'il n'y avait que quatre tabourets et une chaise, Poole s'installa sur les marches et mangea en regardant dehors. Car la porte ne se fermait pas. La nuit, pour se protéger de la pluie, on plaçait devant l'ouverture une toile de sac. Et personne ne déplorait cet état de choses, car la porte seule permettait à l'air d'entrer dans l'abri.

Histoire d'animer un peu la conversation, Levitt se mit tout le monde à dos en parlant de Clausewitz. «D'après lui, expliqua-t-il, c'est dans le corps à corps que réside la réalité du combat. Partant de là, il considère l'artillerie comme une absurdité...»

Quelqu'un toussa.

Bonnycastle dit :

« Est-ce que ça signifie qu'on est absurdes ?

— Non, je ne crois pas, rétorqua Levitt. Simplement, le corps à corps est le seul moyen de comprendre véritablement ce qu'on est en train de faire. En tirant des obus, on ne peut rien prouver.

— Jusqu'à ce qu'un obus nous prouve le contraire, plaisanta Devlin.

— Si l'artillerie est une absurdité, reprit Bonnycastle, qu'est-ce que tu fais ici ?

— J'aurais voulu entrer dans la cavalerie, mais ça n'a pas marché. Alors, pour être quand même avec les chevaux, j'ai choisi l'artillerie de campagne.

— Vous aimez les chevaux ? intervint Rodwell pour changer de sujet.

— Oui, mon capitaine.

— Alors, permettez-moi de vous dire que je considère comme un ami tout homme dont l'amour des chevaux est plus grand que la crainte de l'absurdité. » Sur quoi, il tendit la main à Levitt. « Ravi de vous connaître. »

Levitt se leva, serra la main de Rodwell et se rassit.

Il y eut un silence.

Poole servit les pêches.

« Où est-ce que vous avez trouvé ce hérisson ? demanda Robert à Rodwell.

— Là où on les trouve d'ordinaire, répondit platement son interlocuteur.

— Pardi ! comme on trouve les oiseaux dans le ciel », ironisa Devlin.

Tout le monde rit.

« Non, reprit Rodwell. Si vous voulez vraiment le savoir, je l'ai trouvé dans une haie. Avec le crapaud. Ils étaient l'un à côté de l'autre quand je les ai découverts. J'ai commencé par m'occuper du crapaud — c'est lui qui avait le plus besoin d'être rassuré. Et puis on est restés là, tous les trois, à s'habituer à la présence les uns des autres. »

Robert sourit en se représentant la scène.

« Vous êtes naturaliste ? demanda-t-il encore.

— Non. En tout cas, pas au sens professionnel du terme. En fait, je suis peintre.

— Peintre ? fit Devlin. Je suis désolé, mais, vraiment, je ne me doutais pas... »

Rodwell coupa court à ses excuses.

« Ne vous inquiétez pas, dit-il. Je ne suis pas un peintre connu. Je suis illustrateur, et les illustrateurs, voyez-vous... Bref, j'illustre des livres pour enfants.

— Des contes de fées ? demanda Levitt sur un ton légèrement méprisant.

— Je n'ai rien contre les contes de fées, rétorqua Rodwell. Mais, non — ce n'est pas mon domaine. Ce que je fais est tout ce qu'il y a de plus réaliste. Ce crapaud, par exemple, je le dessinerais exactement comme il est, sans chercher du tout à l'enjoliver. Tel qu'il est, il ne manque d'ailleurs pas de caractère. Je le verrais volontiers feld-maréchal.

— C'est vrai, renchérit Devlin. On a envie de lui dire "Mon général". »

Le sujet semblait épuisé. Il y eut un silence, que Bonnycastle interrompit brusquement en déclarant :

« J'adore les pêches. Je ne vois pas ce qu'il pourrait y avoir de plus merveilleux qu'une pêche.

— Comme tu as noyé les tiennes dans le cognac, je me demande si tu ne confonds pas », remarqua Devlin.

Bonnycastle ignora le commentaire.

«Allons, clairon, dit-il sans transition. Si tu nous jouais quelque chose? Les pêches m'ont rendu triste.

— Bien volontiers, mon lieutenant», répondit Poole, toujours ravi d'avoir un auditoire.

Il prit son instrument et s'installa aussi confortablement que possible.

«Est-ce que vous avez une préférence?

— Non. Tout ce que tu voudras... pourvu que ce ne soit pas trop triste.»

9

Devlin et Bonnie s'en retournèrent à travers les ténèbres, leurs écharpes nouées autour des oreilles. La nuit était glacée. Il n'y avait d'autre lumière que celle des étoiles. Rien ne bougeait. Sur l'horizon, au sud, dans la direction de Verdun, se traînait une fumée jaunâtre et maladive. Rien d'autre — pas même le rituel tireur embusqué.

Étendu sur sa couchette, Robert somnolait. Levitt était installé à la table et lisait. Pour lire, il mettait des lunettes qui le faisaient paraître plus âgé. C'était un garçon étrange, décida Robert. Toujours prêt à aider les autres, il était plein de ressources; mais c'était aussi quelqu'un d'un peu froid, pour qui rien n'existait en dehors de l'esprit. Il était allé seul au secours de Robert et de Poole; mais son geste était purement pratique. Il n'avait rien à voir avec le courage ou le besoin de se prouver quoi que ce soit. C'était un homme qui, à la question, *qui est là ?*, répondait tout simplement *moi* — comme si ce ne pouvait être quelqu'un d'autre.

Robert observa un instant le capitaine Rodwell. Lui aussi était étrange. (Nous sommes tous étranges, songea Robert. À la guerre, tout le monde est étrange. L'homme *ordinaire* n'est qu'un mythe.) Rodwell nourrissait son crapaud. Ils étaient tous les deux de la même espèce.

Robert se retourna. Il avait très envie de dormir, mais ses yeux ne voulaient pas se fermer.

Levitt dit : « Pour Clausewitz, l'artillerie développe dans la guerre un caractère passif. Selon lui, l'artillerie doit prendre position dans un terrain accidenté — les *montagnes,* par exemple —, de sorte que les obstacles naturels lui servent de défense et de *protection.* Il prétend qu'ainsi l'ennemi est contraint de venir lui-même *chercher sa propre destruction.* De cette façon, il dit que la guerre peut se dérouler comme un menuet parfaitement ordonné...

— C'est bien, commenta Robert. Tout le monde aime danser. »

Robert se sentait glisser.

Il était couché sur un lit de treillis, et le treillis, fixé au cadre de la couchette, semblait peu à peu se détendre. Il passa ses doigts dans les mailles pour se retenir. Ses coudes lui faisaient mal. Ses poignets aussi.

Un bruit lointain de coups de feu résonna dans les ténèbres comme une poignée de gravier contre une vitre. Les piquets de garde s'informaient mutuellement de leur présence — à moins qu'une patrouille n'eût aperçu quelqu'un, errant dans le *no man's land.* Le bruit que faisait Levitt en tournant les pages agaçait

Robert. Quitte à avoir froid, il aurait bien voulu qu'on ôtât la toile du sac qui bouchait l'ouverture de la porte. La fumée du poêle lui brûlait les yeux. Il redoutait les émanations du coke. Déjà, des hommes étaient morts en dormant dans des abris mal aérés. Le coke avait une odeur affreuse — rien à voir avec l'odeur rassurante du charbon que Robert avait senti brûler tout au long des hivers de son enfance, parfois à demi endormi sur les genoux aimants de sa mère, enveloppé dans les plis douillets d'une couverture.

L'abri était plein d'yeux : ceux de Robert, qui refusaient de se fermer ; ceux de Levitt, lisant Clausewitz ; ceux de Rodwell, clignant dans la fumée ; et ceux des animaux, regardant dans l'obscurité que seuls ils pouvaient pénétrer. Rodwell tenait sur ses genoux la cage du crapaud. Le seul à dormir était le clairon. N'eût été la guerre, le crapaud aurait certainement dormi dans la boue — comme Poole, couché sur une banquette taillée dans la terre. Comme oreiller, Poole utilisait une botte bourrée de chaussettes. Robert, lui, se servait de sa musette, dont les boucles se prenaient dans les mailles du treillis. Une botte devait être plus confortable ; mais, maintenant, il était trop tard pour changer. En bougeant, il aurait compromis ses dernières chances de sommeil. Pourtant, il ne savait plus jusqu'à quel point il désirait dormir. Dormir était dangereux. La mémoire animale que l'on conserve en soi le sait. Quoi que dise l'esprit, le corps n'écoute pas, et l'on reste partiellement éveillé. Chez Robert, c'étaient les pieds et les mains surtout qui refusaient le sommeil. Malgré ses gants, ses doigts seraient certainement en sang avant le lendemain matin tant ils serraient étroitement les fils du treillis. Quant à ses orteils, ils se refermaient comme pour faire le poing dans ses bottes — comme les orteils d'un singe ou les griffes d'un oiseau sur la branche d'un arbre. Peut-être ses cheveux s'endormiraient-ils — mais ce serait tout.

La respiration de Poole était rauque et presque liquide. Il avait certainement attrapé un rhume dans les marais. Cela amena Robert à penser à Harris — et c'était bien la dernière chose qu'il souhaitât. Tout ce qu'il demandait, c'était un rêve qui lui permît de s'évader. Mais personne ne rêve sur un champ de bataille. Le sommeil ne dure jamais suffisamment longtemps. Les rêves et la distance sont pareils. Si seulement il pouvait s'enfuir, courir — comme Longboat... Mettre ses chaussures de toile et sa vieille chemise ; nouer son cardigan autour des reins et s'élancer dans la prairie... Mais il était sans cesse ramené à Taffler. Taffler qui lançait des pierres. Et à Harris.

10

La vieille maison de campagne anglaise que Robert avait décrite à ses parents était située dans le Kent, à proximité d'une ville appelée Shorncliffe. C'est là que l'artillerie de campagne gardait stationnées les troupes de réserve qui fournissaient ses renforts au corps d'armée canadien qui servait en France. Robert et Harris n'y avaient passé qu'une semaine, durant laquelle la maladie de Harris s'était à ce point aggravée que les médecins de la petite infirmerie s'étaient vus contraints de l'envoyer à Londres, au Royal Free Hospital de Gray's Inn Road. À peu près en même temps, Robert reçut son congé d'embarquement, qu'il décida de passer à Londres — et cela, essentiellement pour Harris, dont il était devenu l'ami, mais aussi parce que Mr. Hawkins, le représentant anglais de la RAYMOND/ROSS, l'avait informé qu'il tenait à sa disposition le webley automatique que Robert avait demandé à ses parents. Ici, les dates ne sont pas très claires; mais sans doute faut-il situer ce séjour londonien vers la mi-janvier 1916, puisque Robert débarqua en France le 24 du même mois.

Le Royal Free Hospital avait été créé dans le courant des années 1840; mais ses bâtiments étaient plus anciens, et servaient précédemment de caserne à la cavalerie légère. Ils étaient rouges, froids et humides. Robert y alla pratiquement tous les jours rendre visite à son ami. Les après-midi étaient sombres et brouillardeux — à la fois solitaires et bruyants. Dans la rue, les gens se hâtaient à petits pas nerveux, le col de leur pardessus relevé, leur chapeau rabattu sur les yeux. Personne ne parlait, sinon pour dire «Pardon» ou «Regardez où vous marchez!». Les passants donnaient l'impression de progresser dans un tunnel vers un but inconnu. Étrangers parmi des étrangers. La nuit — les zeppelins arrivaient, et leur sourde menace pesait sur la ville.

Harris n'avait pas d'autres visites que celles de Robert. Les câbles envoyés à Sydney, Nouvelle-Écosse, étaient demeurés sans réponse. Manifestement, sa brouille avec son père était définitive. Il n'y eut pas même de remerciements. Seulement le silence.

Certains après-midi, Harris pouvait ouvrir les yeux. Mais, sinon, il consacrait toute son énergie à respirer. Robert restait assis sur une chaise à le regarder. Ses cheveux étaient trempés de sueur. Les infirmières et les médecins secouaient la tête. Ils étaient contents que Robert soit venu. Selon eux — et ils ne se privaient pas de le répéter —, personne n'aurait jamais dû mourir seul.

La salle était pleine de blessés. Certains étaient en voie de guérison ; les autres, tout bardés de bandages et d'attelles, ne sortaient du silence que pour pousser un vague et rare gémissement. Les visiteurs étaient nombreux, apportant des bouteilles de stout ou des boîtes de gâteaux, des œufs farcis, des sandwichs de poulet, des poitrines de grouse — et, bien sûr, toute espèce de fleurs, allant du camélia au bouquet de pâquerettes déjà flétries dans les mains des enfants. Par un après-midi de neige, on fit évacuer les couloirs pour la princesse royale, venue voir un cousin blessé à Gallipoli. Elle portait une douzaine de roses jaunes. Parfois, l'atmosphère en arrivait à être franchement gaie, avec toutes ces jonchées de fleurs et ces cadeaux répandus sur les lits comme pour un pique-nique. Et Robert restait assis là, avec ses bottes bien cirées et son uniforme toujours impeccable, les pieds croisés sous sa chaise, les mains jointes, à regarder autour de lui, tandis que Harris luttait pour respirer. Sa patience trouvait sa récompense dans les sourires que lui adressait son ami lorsqu'il sortait de sa torpeur ; et, parfois, il était si ému par ses propres sentiments qu'il ne pouvait s'empêcher de détourner les yeux.

En fait, depuis la mort de Rowena, il n'avait jamais plus ressenti le désir d'être constamment avec qui que ce soit ; or, c'était bien ce sentiment-là qu'il éprouvait désormais à l'égard de Harris. Et, chaque matin au réveil, il pensait : « Il faut que j'aille le voir. » Il n'aurait pas voulu manquer la moindre occasion de l'entendre parler. Car, étendu les yeux au plafond, Harris disait d'étranges choses. Des choses étranges et provocantes. Parfois, Robert ne savait trop que faire des phrases qu'il entendait — où les classer dans son esprit ni comment les comprendre. Tout ce qu'il savait, c'est qu'elles entraient en lui et n'en ressortaient pas.

« Quand je nageais, il y avait une sorte de corniche, au bout de laquelle j'avais l'habitude de m'asseoir. Je ne sais pas quelle profondeur il pouvait y avoir — à marée basse, ma tête ressortait tout juste de l'eau. De là, je me laissais glisser. Comme un phoque. De l'air dans l'eau. De mon monde dans le leur. Et j'y restais pendant des heures. Du moins à ce qu'il me semblait. Je pensais : *Je n'ai plus besoin de respirer.* Je changeais. Je voulais changer, et j'y parvenais. Je me transformais — je devenais l'un des leurs. Il n'y a pas de meilleurs amis que les poissons. Ils vous acceptent. Si vous désirez entrer dans leur monde, ils vous y font une place. Ce n'est pas comme ici. C'est exactement le contraire. »

Après quoi, Harris se rendormait ; et, dans son sommeil, il agitait les mains — il rêvait qu'il nageait, qu'il « respirait » dans un autre élément.

Un jour — un matin très tôt — Harris dit à Robert : « Une fois, je me suis perdu. Dans un banc de maquereaux. De l'argent. Aveuglant. À chaque tournant qu'ils prenaient, leurs écailles m'aveuglaient. Nous nagions parmi les algues. De longs bras souples et glissants comme des queues de cheval. Et, tout à coup, une algue s'est enroulée autour de mon cou, et j'ai cru que je ne pourrais plus respirer — j'allais mourir, noyé. Jusqu'au moment où je me suis remis à nager. Aussitôt que j'ai recommencé à nager, j'ai senti que l'algue venait avec moi. Tu comprends ? Quelque chose — dans cet *élément-là* — me protégeait, m'empêchait même de me noyer. L'algue s'était tout bonnement déracinée pour me suivre. Mais, dès que je me suis retrouvé sur la rive, elle s'est comme resserrée, comme nouée autour de mon cou — et je ne pouvais plus m'en débarrasser. C'est là que j'ai failli mourir. Sur la terre ferme. Étranglé, étouffé. Dans l'air… »

Puis il regarda Robert. Il avait fini son histoire. Lorsqu'il parlait, il ne quittait pas des yeux le plafond. En fait, il se parlait à lui-même, songea Robert, avant de s'endormir.

Un après-midi, Robert arriva tard. Il sortait d'un spectacle, et il avait encore la tête si pleine de musique qu'il eut bien du mal à reprendre sa garde silencieuse auprès du corps agonisant. Harris était assoupi. Il respirait de plus en plus difficilement. Il était question de le mettre dans un poumon d'acier ; mais les poumons d'acier étaient rares — trop rares. Pour l'instant, il n'y avait rien d'autre à faire que d'écouter. Soudain, un rire éclata derrière la porte du couloir, et Eugene Taffler apparut en compagnie d'une femme en qui Robert reconnut aussitôt Lady Barbara d'Orsey. C'est elle qui riait ; mais, dès qu'elle fut entrée, son rire s'arrêta. Elle portait une brassée de freesias. Elle avait de la neige dans les cheveux. Ses lèvres étaient entrouvertes.

Son apparition eut, sur Robert, l'effet que produit généralement une célébrité lorsqu'elle quitte le piédestal où la place sa renommée, et entre brusquement dans la réalité. Il la trouva petite, et fut gêné de la voir bouger. Comme celles de Cathleen Nesbitt et de Lady Diana Manners, on voyait sa photo «partout». Et, depuis quelque temps, on la voyait très souvent avec Eugene Taffler, dansant à quelque bal de charité — plaisantant avec le prince de Galles — ou à cheval dans le parc. Bien sanglé dans son uniforme, jouant négligemment avec son élégante cravache, Eugene Taffler ressemblait plus que jamais à l'image qu'on peut se faire d'un héros. Il venait de se faire couper les cheveux — signe certain qu'il s'apprêtait à regagner le front. Sa tête semblait énorme. Ses yeux et sa bouche étaient comme des dessins d'yeux et de bouche: statiques. Il avait les mains nues. Robert rougit.

Ne voyant pas quelle autre attitude adopter, il se leva. Taffler le reconnut au premier coup d'œil et traversa la salle dans sa direction, laissant Barbara d'Orsey à proximité de la porte. Tout le temps qu'elle attendit, elle resta debout, une joue appuyée contre la fourrure de son col, à regarder par les fenêtres, sans manifester aucun intérêt particulier pour quoi que ce soit. Cependant, Robert remarqua que ses mains tremblaient.

«Ma parole, mais c'est Ross!» s'exclama Taffler en étreignant la main que lui tendait Robert. Son plaisir paraissait sincère. Et sans doute l'était-il. Compte tenu de l'endroit où ils se trouvaient, cela devait être plutôt agréable de rencontrer quelqu'un en aussi bonne forme que l'était Robert (ses jambes ne portaient plus trace de sa chute, et désormais il ne boitait plus ni ne ressentait la moindre douleur).

Robert bégaya une vague explication concernant Harris, après quoi Taffler lui dit qu'il allait le présenter à Lady Barbara. Robert ne voulait pas les déranger. Taffler insista. Il finit par prendre Robert par le coude pour le guider à travers les lits.

Lors de cette première rencontre, rien ne se produisit. Barbara semblait distraite. Robert nota pourtant ses yeux et la façon dont elle le regardait. Elle le regardait non pas durement, mais avec gentillesse. Comme pour le prier poliment de partir. Robert s'en alla aussitôt qu'il le put. Durant un certain temps, Barbara demeura immobile. Elle regarda la salle, puis Taffler, comme pour dire : Et, maintenant, que suis-je censée faire ? Taffler lui indiqua des yeux un lit placé à l'autre bout de la salle.

De la chaise qu'il occupait à côté de Harris, Robert fut le témoin involontaire de la scène qui suivit. Le couple passa devant lui — Barbara avec son bouquet de fleurs dans les bras, et Taffler la tenant par le coude, tout comme il le tenait lui-même quelques instants auparavant — et s'arrêta auprès d'un lit où se trouvait un homme entièrement couvert de bandages. Déjà, son silence avait intrigué Robert.

Barbara se planta à la tête du lit et regarda l'homme sans rien dire. Le parfum des freesias avait peu à peu envahi la salle. Le profil qu'elle présentait à Robert ne portait pas trace de sourire. Elle tenait ses fleurs comme on tient une couronne — non pas comme un présent, plutôt comme un symbole. De son côté, Taffler alla jusqu'à la tête du lit et se pencha vers l'homme pour lui parler. Ce qu'il dit, personne ne put l'entendre en dehors du blessé. Robert vit ce dernier essayer de répondre, mais aucun son ne sortit de sa bouche — pas même un soupir. Enfin, Taffler lui posa une main sur l'épaule comme pour prendre congé, puis, emmenant Barbara avec lui, il partit brusquement en direction de la porte et sortit sans se retourner ni adresser le moindre salut à Robert. Barbara tenait toujours les fleurs et marchait comme une somnambule. Lorsqu'ils eurent disparu, Robert eut l'impression que l'homme aux bandages «criait», et la perception de souffrance silencieuse qui s'en dégageait fut telle qu'il finit par se décider à aller appeler une infirmière. Lorsque celle-ci eut administré au malade une dose de morphine, elle expliqua à Robert qu'il avait été pris dans un incendie et que ses cordes vocales avaient été détruites par les flammes qu'il avait avalées. Robert lui demanda qui il était. «C'est le capitaine Villiers», répondit l'infirmière. Après quoi, elle ajouta quelques mots qui firent rougir Robert sans qu'il comprît exactement pourquoi. Peut-être à cause de la violence avec laquelle elle les prononça — peut-être à cause de la façon dont elle baissa la voix. «Quant à cette femme, dit-elle, ne m'en parlez pas. Je ne sais pas comment elle ose venir ici.» *Cette femme,* ce ne pouvait être que Barbara d'Orsey.

11

Cette partie du récit nous est contée par Lady Juliet d'Orsey, dont les souvenirs concernant Robert Ross — pour des raisons que l'on découvrira au fil de ses propos — sont les plus vivants et les plus personnels que nous possédions. À l'époque des événements qu'elle rapporte, elle avait douze ans. Aujourd'hui, elle en a plus de soixante-dix.

Juliet d'Orsey est le quatrième des cinq enfants du marquis et de la marquise de St. Aubyn. Elle est également la seule à survivre, et elle ne s'est jamais mariée. Elle habite toujours une partie du 15, Wilton Place, qui fut la résidence londonienne des St. Aubyn depuis 1743. Actuellement, les étages inférieurs de l'hôtel sont occupés par le ministère de la Recherche scientifique. Pour s'y rendre, on s'arrête à Hyde Park Corner, puis on longe Knightbridge jusqu'après St. George Hospital, où un écriteau plutôt sinistre annonce la *Société royale pour la prévention des accidents.* Wilton Terrace se trouve sur la gauche.

L'atmosphère bureaucratique du ministère vous assaille aussitôt franchie la porte d'entrée. En pénétrant dans le hall, on a l'impression d'arriver au beau milieu d'une immense partie de cache-cache. Chacun met toute son application à ignorer ce que vous désirez. Les dos se tournent dès que l'on a senti en vous un étranger susceptible de poser des questions. Des secrétaires s'affairent dans l'escalier, une main sur le front, en marmonnant *« Voyons, voyons, voyons — où ai-je bien pu le mettre ? »*. Des téléphones sonnent des heures durant sans que personne ne réponde. Puis, soudain, quelqu'un tourne vers vous un visage hagard et vous demande : « C'était le téléphone ? » Lorsque vous hasardez une question touchant Juliet d'Orsey, on vous répond qu'on n'a jamais entendu parler d'elle. Après quoi, une jeune femme mieux informée vous apprend qu'« elle a été congédiée la semaine précédente ». Des portes se ferment comme par enchantement dès que vous approchez. Puis, par la fenêtre du hall, vous voyez par hasard passer une grande Daimler noire. Tête nue, un petit homme se précipite alors sur le perron, où il reste planté, l'air complètement perdu. Tout le monde se fige et retient son souffle: *le ministre vient d'arriver. Seigneur..., est-ce qu'il va entrer?* Tant bien que mal, vous arrivez enfin au deuxième étage, où vous découvrez une porte sur laquelle il est écrit: « LADY BARBARA D'ORSEY — SONNEZ DEUX FOIS S.V.P. » Et vous vous sentez comme Aldrin débarquant sur la lune.

La porte vous est ouverte par la jeune compagne de Lady Juliet. Elle se présente elle-même: Charlotte Krauss. Miss Krauss a dans les vingt-huit ans et porte une charmante robe havane. Elle cache ses mains dans ses poches et se balance sur ses talons. Elle est jolie, prévenante et discrète. Elle se retire presque aussitôt pour aller préparer du thé. Vous avez déjà traversé un long couloir crème, où la lumière, pénétrant par les portes ouvertes, éclaire toute une galerie d'ancêtres. À l'autre extrémité, vous entrez dans un vaste et beau salon, dont les grands fauteuils bleus se détachent sur une moquette abricot. Une cheminée occupe presque toute une paroi. Les fenêtres, qui ouvrent sur des balcons, donnent directement sur St. Paul — où une chorale est actuellement en train de chanter.

Lady Juliet vous tourne le dos. « Un instant », dit-elle sans bouger — et vous attendez bêtement au milieu de la pièce, votre serviette dans une main et votre enregistreur dans l'autre. Sur la cheminée, il y a des freesias dans un vase tout blanc. Le chant latin qui vous parvient de l'autre côté de la rue arrive bientôt à son terme, et Lady Juliet se retourne enfin pour déclarer: « Je suis sûre que vous me pardonnerez. Mais la messe est quelque chose à quoi je n'ai jamais su résister. » Elle sourit et traverse la pièce pour s'approcher du feu, où elle allume une cigarette et rejette la tête en arrière pour mieux vous voir dans la lumière du soleil. « Tout ce que je vous demande, dit-elle, c'est de ne pas m'appeler Ju-*liet*. Je ne supporte pas — ça me rend folle !

— Bien..., madame.

— Ici, nous disons Ju-li-et. *Ju-li-et*. Répétez donc, pour voir.

— Ju-li-et.

— C'est parfait. Eh bien, je suis ravie de vous voir. »

Elle a des cheveux courts et grisonnants, qui ont toujours été fins et bouclés, et de longues mains frémissantes déformées par l'arthrite. Elle est grande et semble dangereusement mince. C'est une de ces femmes qui, par choix, observent un régime de famine. Le sien se compose de toasts melba et d'épinards, mais surtout de cigarettes et de gin. Le gin n'affecte en rien ni sa diction ni la clarté de son esprit. Pour elle, c'est simplement un aliment. Elle s'assied, une hanche appuyée contre un des accoudoirs du fauteuil et penchée dans le sens opposé, fumant l'une après l'autre des cigarettes qu'elle semble ne jamais réussir à éteindre tout à fait. Dans le cendrier, des mégots se consument d'un bout à l'autre de l'après-midi.

Elle est très fière de Robert Ross. Elle ne se met jamais en colère que pour parler de ses détracteurs. Ainsi, le nom de Stuart Ross suffit à la mettre hors d'elle-même. « Et pourtant, admet-elle une fois son calme retrouvé, un frère est un frère. Je sais ce dont je parle — j'en avais, moi aussi. Il y a, dans les familles, des inimitiés qu'il faut supporter jusqu'au bout. Mais lorsque ces inimitiés tournent à la haine... ça non ! Je suis sûre qu'il a refusé de vous recevoir.

— En effet.

— Décidément, je ne comprends pas. C'est comme si Robert avait fait quelque chose de mal.

— Il y a des gens qui voient les choses comme ça.

— Des fous, oui ! Oh, je sais — à moi aussi, on m'a parlé de cette façon-là. »

Elle reste un moment à regarder par la fenêtre. Et à écouter. En face, les chants ont repris et semblent l'apaiser :

« Exaudi orationem meam,
« ad te omnis caro veniet. »

Écoute ma prière — qu'à toi vienne toute chair...

« Comme c'est réconfortant », dit-elle.

Mais ce n'est pas nécessairement votre avis.

12

Transcription : Lady Juliet d'Orsey — 1

« Ils se sont rencontrés — ma sœur et Robert Ross — à cause de ce garçon, Harris. Et de Jamie Villiers... *(Le capitaine James Villiers était l'homme aux bandages à qui Barbara et Taffler allaient rendre visite.)* De tout temps, Jamie avait été de nos amis. Il était très proche de mon frère Clive. Le seul sport que pratiquait Clive était l'équitation. Et, dans le pays, Jamie comptait parmi les meilleurs spécialistes de la course au clocher.

Son rêve était de courir le *Grand National.* Ce qui était impensable, bien sûr — non seulement parce qu'il était fils d'un duc, mais parce qu'il était immense. Immense ! Aussi grand qu'une girafe. Et tout aussi doux. Un amour. C'était un garçon adorable. Et Barbara l'adorait. Comme nous tous, d'ailleurs. Seulement, Barbara était une vraie peste. Il faut dire que tous ses amis étaient des garçons. Les filles — et, hélas, je ne faisais pas exception — l'agaçaient et l'ennuyaient. «*Elles me tuent*», disait-elle. Elle aimait énormément nos frères, qui, par l'âge, étaient les plus proches d'elle. J'étais sa cadette de huit ans. Quant à Temple, ce n'était encore qu'un bébé. Barbara a donc grandi avec Michael et Clive — et tous leurs amis étaient également les siens. Dans la famille, il a toujours été entendu que, lorsqu'on parlait des filles, il s'agissait de Temple et de moi — jamais de Barbara. Aussi loin que je m'en souvienne, elle a toujours eu le goût des héros et des athlètes. Les vainqueurs la fascinaient. Mais, surtout, elle était exclusive : on faisait ou on ne faisait pas partie de sa vie. C'était comme un club. Et, pourtant, elle n'était pas *snob.* Surtout pas. Simplement, si vous ne l'intéressiez pas, c'est comme si un mur vous séparait d'elle. Oui, c'est cela. Il fallait l'intéresser, l'intriguer — faute de quoi, on n'existait pas. Vous voyez, là, c'est un portrait d'elle. Assez bon, je crois. On y retrouve ses yeux sceptiques et son perpétuel sourire. Et je vais vous dire un secret concernant ce sourire. En fait, ce n'en était pas un. C'était seulement une fossette qui se creusait sur sa joue gauche. C'est vrai. Je vous le jure. Mais... J'étais en train de vous parler de Jamie Villiers. Oui. C'était avant la guerre. Je n'avais que neuf ans. Ou huit, je ne me rappelle pas. Clive et Jamie ne pouvaient aller faire un tour à cheval sans que

Barbara les accompagnât — elle était toujours avec eux. Clive et Jamie étaient tous les deux à Oxford, depuis un an, même pas. Barbara n'avait pas une once d'intuition. En cela, elle ressemblait à un homme. Je ne sais pas quelle est votre expérience, mais en ce qui me concerne, je n'ai jamais vu d'hommes réellement intuitifs. Intelligents, sensibles — oui, bien sûr. Mais intuitifs, jamais. Avec cette absence d'intuition, Barbara était incapable de se rendre compte qu'elle était de trop. Parfois, c'était une véritable bûche. Elle ne voyait rien, elle ne sentait rien. Elle était donc toujours après eux. Au point qu'un jour, Clive s'est décidé à lui parler. À lui *dire* — ou plutôt à lui *suggérer* — qu'elle s'immisçait dans une amitié où l'on n'avait pas besoin d'elle. Elle est rentrée à la maison — ça se passait à Stourbridge — St. Aubyn — dans un état que vous ne pouvez imaginer. Elle était littéralement folle de rage. Elle répétait sans arrêt : « Je ne comprends pas ! Je ne comprends pas ! » Finalement, c'est moi qui lui ai expliqué. Je lui ai expliqué qu'ils étaient *amoureux. « Mais de qui ?* m'a-t-elle demandé. — *Comment, de qui ?* lui ai-je dit. *Tu ne comprends donc rien aux garçons ? Ils sont amoureux l'un de l'autre, voyons ! » (Rire)* Oh ! la la ! ce qu'elle a pu me détester pour avoir dit ça ! Et Clive ! Ils ont eu une scène mémorable. Il a fallu que maman intervienne. Pour ça, maman était tout ce qu'il y a de plus compréhensive. Elle avait eu des frères, et elle savait que cela passerait. Mais, pour Barbara, Clive corrompait Jamie ; elle s'est mise à les appeler *Oscar* et *Bosie* ; et, finalement, elle a reporté son affection ailleurs. Sur Ivan Cromwell-Jones, je crois — ou quelqu'un dans le genre. Peu importe. Mais, vous voyez, ce n'est pas simplement une histoire amusante. Au contraire, elle est très significative. À cause de la colère de Barbara. Sa froideur face à la souffrance d'autrui. En dehors d'elle, personne n'avait le droit d'aimer — de posséder. Et si, dans cette histoire, vous remplacez Clive par la guerre... oui — je suis sûre que vous me comprenez. *(À ce moment-là, Charlotte Krauss apporte le plateau du thé, et, tandis qu'elle remplit les tasses, on vous invite à écouter la musique et à faire un choix de sandwichs. Miss Krauss — sans chercher le moins du monde à cacher son geste — additionne de gin le thé de Lady Juliet et pose la bouteille sur la table, à côté du cendrier fumant. Puis elle sort. Il est temps de remettre l'enregistreur en marche.)* Barbara avait connu bien d'autres garçons, lorsque, durant l'été 1915, elle a recommencé à s'intéresser à Jamie Villiers. Il venait d'être décoré et rentrait à la maison en héros. Il était alors plus ou moins fiancé à Diana Menzier; mais pour Barbara ce n'était pas un obstacle. Elle était possessive — c'est le moins qu'on puisse dire. Quand elle avait jeté son dévolu sur quelqu'un, rien ne l'arrêtait — surtout pas l'idée qu'elle pouvait blesser son prochain. Et, avec ça, elle continuait à se cramponner à Clive et à Michael. Elle se sentait sur eux tous les droits. Ses *frères* — pensez-vous! *(Rire)* Je vous assure — je suis bien contente de n'avoir pas été un garçon, dans notre famille! Ou amoureuse d'un de nos frères! Plus tard, lorsque Clive s'est fiancé avec Honor Hampton, Barbara a tout bonnement déclaré qu'elle n'était pas d'accord, et elle a tout mis en œuvre pour rendre impossible la vie de cette malheureuse Honor — qui, bien sûr, n'a jamais épousé Clive. Il a été tué le Premier Juillet.»

(Lorsqu'une personne de la génération de Juliet d'Orsey parle du «Premier Juillet», il s'agit bien entendu du 1er juillet 1916. C'est à cette date qu'a commencé l'offen-

sive sur la Somme. Entre sept heures et demie du matin et sept heures et demie du soir, 21 000 soldats britanniques furent tués, 35 000 blessés, et 600 faits prisonniers par les Allemands. Mais profitons de l'occasion pour signaler que Lord Clive Stourbridge, le frère aîné de Juliet et de Barbara, fut l'un des poètes de Cambridge dont l'œuvre la plus connue — comme celle de Sassoon et de Rupert Brook — tire son origine de la guerre. Parmi les poètes qui participèrent au Premier Juillet, on peut en outre citer Robert Graves et Wilfred Owen. Tout comme Sassoon, Graves laissa un compte rendu de la bataille.)

« Mais ce que vous désirez savoir, c'est comment Barbara rencontra Robert, et comment Harris détermina en quelque sorte leur future relation. Rien ne me permet d'affirmer ce que je vais dire, mais je crois que Robert était amoureux de Harris. Un peu comme Jamie était amoureux de Clive. Peut-être suis-je trop terre à terre, mais la vérité manque bien souvent de poésie. Quoi qu'il en soit, je suis persuadée que des hommes très physiques, comme Robert, Jamie ou Taffler, sont souvent aussi des hommes extrêmement sensibles. Pas le footballeur du coin, non ! Celui-là est tout juste capable d'être larmoyant et sentimental. Mais les véritables athlètes, ceux qui recherchent la beauté à travers la perfection. Je crois qu'ils sont attirés par les poètes et les peintres, tout comme eux-mêmes attirent les poètes et les peintres. Peut-être pas sur le plan amoureux — quoique l'« amour » ait mille manières de s'exprimer en dehors du domaine physique. Je n'imagine certes pas une bande de poètes et d'athlètes se convoitant les uns les autres ! Mais l'amour, oui. Même s'il ne l'a jamais dit, Robert aimait Harris. À la façon dont il a accueilli sa mort, à la façon dont il m'a parlé de lui, cela me paraît évident. Sans doute la guerre aussi y était-elle pour quelque chose. Mais vous ne l'avez pas connue; vous ne pouvez pas savoir. On vit lorsqu'on vit. Personne ne peut vivre votre vie, de même que personne ne saura jamais ce que vous savez. Alors, c'était alors. Une époque unique. Comment vous expliquer? Vous avez eu une guerre, vous aussi. Chaque génération a sa guerre, sauf celle-ci. Mais là n'est pas la question. Il ne s'agit pas de chercher ici des excuses à la façon dont on se comporte — de se réfugier dans la tragédie — mais bien d'essayer de comprendre un individu à travers la manière dont il a répondu à son temps. Quiconque reste insensible à son époque n'apporte aucune contribution à l'avenir. Prenez n'importe quel grand homme: il est inséparable des années où il a vécu. Sa grandeur tient à la façon dont il a réagi à ce moment particulier. Mais… revenons-en à nos moutons. C'est ça — la guerre… Siegfried — *Sassoon* — a dit une chose merveilleuse. Il conduisait ses troupes au front et suivait une route qui avait été bombardée lorsque, tout à coup, dans le fossé, il aperçoit un soldat mort dont la tête avait été à moitié emportée. Pour lui, ç'a été un choc terrible. C'était, je crois, la première fois qu'il voyait un cadavre. Cependant, après en avoir vu des masses, il racontait qu'on finissait par s'y habituer, par accepter. Mais cette acceptation le rendait fou — et c'est elle, justement, qui lui a inspiré cette phrase merveilleuse: *«Je continue à soutenir qu'un être humain ordinaire a le droit d'être horrifié par la vue d'un corps mutilé sur le bord du chemin.»* Eh oui! tout est là: nous n'avions pas la possibilité de nous comporter comme des êtres ordinaires. Nos credo, nos espoirs les plus légitimes nous étaient enlevés. Arrachés. Il y avait tant de morts. Personne ne peut imaginer. Et ce n'était pas des *accidents* ; ce n'était pas la mort qu'apporte paisiblement l'âge : c'était des meurtres. Des meurtres par milliers. Tous nos amis étaient... assassinés. *(Pause)* Oh ! je sais, la « bombe », c'est terrible ! Mais, si elle éclate, nous mourrons tous ensemble. Durant la guerre, c'était jour après jour qu'il fallait affronter la mort — semaine après semaine, mois après mois, année après année. Chaque jour, un autre ami. Et aujourd'hui, il faut en plus entendre des gens qui n'ont pas connu cette époque raconter que nous avons fini par nous accoutumer ! Nos cœurs étaient gelés, oui. Mais de là à dire que nous étions *habitués*... Rien que d'y penser, cela me rend malade ! *(Pause)* Il suffit que, dans ces circonstances, toute chose était plus aiguë, plus directe. Des gens comme Robert et Barbara, comme Harris et Taffler, vous les rencontriez, et tout de suite vous entriez en plein dans leur vie. Il n'y avait pas de place pour les simagrées, pour les intrigues, pour les romances soigneusement entretenues. Une rencontre, c'était la rencontre immédiate de deux vies — il fallait aller plus vite que la mort... Jour après jour, Robert allait voir Harris ; et, jour après jour, Barbara et Taffler allaient voir Jamie. C'est ce que j'ai le plus de peine à admettre concernant ma sœur. Son silence en face de Jamie. Était-ce de la cruauté ? Bien sûr — ce n'est pas possible autrement. Ne pas lui faire entendre sa voix ! Il ne restait rien de lui, vous savez. Rien que des nerfs, et un esprit, pour mieux souffrir. Pas de voix, pas de chair. Rien. Juste son *moi*. Peu à peu, c'est devenu une sorte de rituel... un rituel parfaitement réglé. Barbara plantée au pied du lit ; l'autre parlant, seul. Barbara avec ses fleurs — et leur parfum. Des freesias. Comme ceux qui sont là, sur la cheminée. Et elle, elle était aussi froide que ce vase blanc. Elle ne disait jamais un mot. Debout, comme une pierre, à le regarder mourir. Ariane et Dionysos. La comparaison est plutôt flatteuse, non? Abandonnée par un dieu, elle en a pris un autre. Chaque année, d'ailleurs, Dionysos était détruit et renaissait de ses cendres. Bon. Barbara allait donc tous les jours avec Taffler rendre visite à Jamie, et tous les jours elle voyait Robert Ross. Probablement du coin de l'œil seulement; mais elle était sensible à sa présence, je le sais. Ensuite, elle revenait ici — parfois avec Taffler — et elle s'asseyait près du feu, un verre de sherry à la main. Elle restait à observer les flammes, tandis que Taffler parlait des hommes qu'il avait vus à l'hôpital — et notamment de Robert et Harris. C'est maman qui, la première, a parlé d'inviter Robert à St. Aubyn. Mais il n'y est venu que plus tard, et c'est alors que j'ai fait sa connaissance, moi aussi, et qu'il m'a tout raconté à propos de Harris. Après leur arrivée en Angleterre, Robert et lui se sont trouvés ensemble à l'infirmerie de Shorncliffe. Harris allait déjà très mal — et Robert était en train de se remettre d'une chute. La nuit, lorsque ni l'un ni l'autre ne pouvaient dormir, Harris parlait. Il n'était jamais allé à l'étranger. C'était un enfant unique, doué d'un esprit très brillant. Un poète, ou presque — en tout cas un conteur. Couché dans le noir, il racontait à Robert des histoires de feux de forêt, de naufragés dans la tempête, d'oiseaux et d'escalades estivales, de vallées aux roches escarpées toutes bruissantes de sources souterraines. Et de baleines. Il lui racontait avoir nagé au milieu de bancs de baleines, et disait que, sous l'eau, on pouvait les entendre chanter. Robert était sceptique. À l'époque, on ignorait que les baleines émettaient des sons. Aujourd'hui, on le sait — j'en ai même un enregistrement. Harris avait donc raison, mais Robert ne le croyait pas. Harris disait que, parfois, les baleines s'échouaient, et que les pêcheurs s'empressaient alors d'aller les massacrer. Il lui racontait qu'il lui arrivait de faire la planche au large, et de se laisser porter par la marée et rouler sur le sable des heures durant, avec l'impression d'accomplir le même voyage que les animaux qui, il y a un million d'années ou plus, sont pour la première fois sortis de l'eau pour conquérir la terre. Mais, là encore, Robert était sceptique. Il ne croyait pas que nos ancêtres avaient été des créatures marines. Il disait: *«On a toujours été des hommes. — Mais non,* protestait Harris, *tout être vient de la mer. Le ventre qui t'a porté, c'est une mer en petit. En sortant de l'œuf, c'est de la mer que sortent les oiseaux. Avant de naître, les chevaux mêmes sont dans la mer. Le placenta, c'est la mer. Et le sang n'est rien d'autre que la mer prolongée dans nos veines. Nous sommes l'océan — marchant sur la terre.» (Pause. Puis Lady Juliet parle.)* «Je souhaiterais qu'on le leur dise à ceux d'en dessous, au ministère de la Recherche scientifique!» *(Vous en profitez pour changer de bande.)* Un jour, Robert a demandé à Harris s'il n'avait pas peur de nager comme ça, au milieu des baleines, ou de se laisser emmener par la marée. L'idée de se noyer avait toujours effrayé Robert. *Mais non, Harris n'avait pas peur du tout.* Sa mère était morte quand il avait trois ans. Depuis, il avait toujours mangé seul avec son père à une table de douze pieds avec une bougie entre eux. Une flamme silencieuse. Lorsqu'il est mort, Robert a pris ses gants aux doigts mordus et le long foulard bleu qu'il avait coutume de porter. *(À ce moment-là, la messe reprend: «Kyrie eleison. Christe eleison. Kyrie eleison.» Puis Lady Juliet conclut.)* La dernière scène les met tous en présence : Robert, Harris, Barbara, Taffler — et Jamie, si l'on veut. Souvenez-vous que, depuis plus d'une semaine, ils se sont vus chaque jour. La mort de Harris a eu lieu deux jours avant la date prévue pour le départ de Robert. Il a ouvert les yeux — il a souri, comme il le faisait toujours lorsqu'il se réveillait — et il a fait signe à Robert de s'approcher. Il lui a dit *merci*. Et il est mort. Comme ça. Robert est sorti marcher dans la neige. Il ne savait que faire. Son congé était presque terminé. Mais il ne voulait pas abandonner son ami à des étrangers. L'armée aurait pu l'enterrer, mais il trouvait grotesque l'idée d'un cadavre dans une boîte sous un drapeau pour lequel il n'avait jamais eu l'occasion de se battre. De plus, d'ici que tout soit arrangé, Robert serait parti. Jusqu'au bout, il avait essayé d'obtenir une réponse du père de Harris. Mais rien. Et pourtant, il était allé jusqu'à demander à son père de télégraphier depuis Toronto. Mais non — rien. Et puis, le problème s'est soudain trouvé résolu — par un affreux malentendu. Le lendemain de la mort de Harris, quand Robert est retourné à l'hôpital pour demander conseil et s'occuper de ses affaires, il a eu la pénible surprise d'apprendre qu'on l'avait incinéré. Il y avait eu je ne sais quelle erreur d'identité ou vice de procédure, peu importe. Le fait est que, pour toute consolation, Robert s'est vu offrir les cendres de son ami. Elles étaient dans un coffret de bois enveloppé de toile. Robert les a prises, et il est allé s'asseoir dans le hall. Il y est resté pendant des heures, la boîte sur les genoux. Il y est resté jusqu'au moment où Barbara et Taffler sont enfin arrivés pour faire leur visite quotidienne. Il leur a raconté ce qui s'était passé. Comme d'habitude, Barbara apportait des fleurs. Ce jour-là, c'était des roses. Le problème de Robert consistait désormais à savoir ce qu'il devait faire des cendres. Il n'était pas question qu'il les emmène en France. D'autre part, il ne pouvait les donner à une église, car les églises n'acceptaient jamais que les cendres de leurs paroissiens. «*Il faut les jeter, les disperser*», a suggéré Barbara. Oui, mais où? Taffler s'est alors enquis de l'endroit où, selon Robert, il aurait aimé être. Robert a réfléchi. «*Dans la mer*», a-t-il finalement répondu. Mais la mer était trop loin. Barbara a alors proposé un compromis: ils iraient à Greenwich et les éparpilleraient dans la Tamise. La Tamise est superbe, là-bas. Après la mer, c'est certainement ce qu'on pouvait trouver de mieux. Robert a donc accepté. Ils ont loué un taxi, et ils sont partis, Barbara toujours avec ses roses dans les bras. Ils ont fait tout le trajet sans échanger un mot. Ils ont laissé la voiture à King William's Walk. Il neigeait. Ils avaient convenu de jeter les cendres du bout de l'embarcadère. Robert allait en avant, suivi de Taffler. Barbara était demeurée légèrement en arrière. À travers la neige, elle les voyait à peine. Il faisait terriblement froid. Les hurlements du vent et les appels des bateaux faisaient une musique funèbre à souhait. Le taxi s'en était allé. Ils étaient seuls, abandonnés. Au moment où il allait soulever le coffret, Robert s'est tourné vers Taffler pour lui dire: «*Ce n'est pas des funérailles militaires — un simple enterrement en mer. Faut-il se découvrir?*» Il demandait conseil à son supérieur. Taffler a ôté sa casquette, et Robert aussi. La marée montait. Il n'y avait pas de ciel ni d'horizon — seulement la neige et l'eau. Robert a enlevé le couvercle de la boîte, et il a posé une main sur les cendres pour les protéger. Elles étaient grises. Gris jaune. Je n'ai jamais vu faire ça, ni rien lu qui le raconte — même pas chez

Joseph Conrad, pensait Robert. Qu'est-ce qu'on dit, dans ces occasions-là? Enfin, il s'est décidé: «*Va en paix,* a-t-il dit. *Va chanter avec les baleines.*» C'est tout. Et puis il a pris une poignée de cendres et il les a lancées aussi loin que possible mais le vent les empêcha de se poser sur l'eau. Il s'est tourné vers Taffler. Son geste lui avait rappelé les pierres dans la prairie. «*Je crois que vous saurez mieux vous y prendre que moi,* a-t-il dit. *Voulez-vous essayer de les jeter au milieu du fleuve?*» Taffler voulait bien. Malgré la neige et le froid, il a retiré sa veste et l'a tendue à Barbara. Selon elle, c'était une vraie cérémonie. Il lui a aussi remis sa casquette. Puis il a pris le coffret des mains de Robert; il l'a soupesé; et il a regardé la Tamise pour évaluer la distance et la force du vent. Enfin, il s'est penché en arrière, puis, comme il l'aurait fait d'un ballon, il a porté la boîte à la hauteur de son oreille, et, avec un cri involontaire, il l'a lancée de toutes ses forces et si loin qu'elle avait disparu à leurs yeux avant même de toucher l'eau. Ensuite, Barbara m'a raconté qu'ils étaient encore restés là si longtemps que ses fleurs commençaient à s'effeuiller. Mais il fallait rentrer. Taffler s'est rhabillé, et ils sont partis tous les trois en direction du collège de la Marine royale, Barbara semant derrière elle des pétales de roses. Barbara a dit à Robert: «*Lieutenant Ross, je ne sais pas si vous savez que vous êtes ici dans la ville qui a vu naître le général Wolfe?*» Robert ne le savait pas. «*C'est pourtant vrai. Après quoi il a grandi, et il est allé prendre votre pays pour nous.*» Robert n'était pas d'accord: «*Non,* madame. Je crois que c'est nous qui l'avons pris pour lui. — Nous? — Oui, nous — *les soldats.*» C'est la première fois que Robert pensait vraiment à lui comme *étant* un soldat. Peut-être à cause des cendres qu'il avait sur les doigts. Le même soir, il a pris le train jusqu'à Folkestone, où il devait s'embarquer pour Boulogne. La tempête l'a accompagné jusqu'en France. »

Et voilà que s'achève l'entretien. Mais uniquement parce que, de l'autre côté de la rue, le chœur s'est une fois de plus remis à chanter, et que, décidément, la messe est quelque chose à quoi Juliet d'Orsey ne saurait résister.

« Mais revenez, dit-elle. Ça me fera plaisir. »

Et vous n'y manquerez pas. Car elle connaît la suite de l'histoire.

13

Le 27 février, lorsque Robert finit par s'endormir, il n'était pas loin de minuit. Le lendemain, à quatre heures du matin, les Allemands faisaient exploser un cordon de mines disposées le long du saillant de Saint-Éloi. L'une d'elles se trouvait à cinq cents verges droit en face de la porte au vitrail. Ces explosions déclenchèrent la riposte de l'artillerie, et, en l'espace d'un instant, la campagne entière parut prendre feu. C'était le début de la seconde phase d'une bataille que les Canadiens avaient cru terminée. Pourtant, elle allait se poursuivre durant cinq jours encore, et faire trente mille morts sans que pour autant un seul pouce de terrain ne soit gagné. Lorsqu'elle commença, Robert était sous sa couchette, avec un lapin, un hérisson et un oiseau. Après que les mines eurent sauté et que les canons eurent tiré une première salve, il y eut un bref instant de silence.

Durant ce silence, on entendit Rodwell dire à Levitt : « Tout à fait comme un menuet. »

TROIS

Lundi 28 février, 4 heures

Lorsque les mines éclatèrent, la terre oscilla — en avant, en arrière, en avant — puis s'arrêta comme un mot inachevé, au milieu de nulle part. Les espaces qu'on avait creusés s'emplirent de fumée, et des objets se mirent à tomber. Casques, livres, boîtes de conserve et masques à gaz tombèrent des rayons. Puis les rayons eux-mêmes s'abattirent sur le sol, et enfin la terre, qui s'effondrait par mottes.

Robert s'accrocha au treillis de sa couchette jusqu'à ce que les oscillations cessent. Puis il se mit dessous. Il était couché sur le ventre avec les cages entre les bras avant d'avoir conscience de l'endroit où il se trouvait. Un moment, il demeura sourd. Les bruits lui paraissaient étouffés et provenir de l'intérieur même de sa tête. Le contenu d'un sac de farine mêlé à de la poudre de talc échappé d'une trousse de rasage flottait dans l'air. Il aurait voulu fermer les yeux, mais ses paupières étaient bloquées par l'enduit qu'avait formé cette poussière en se mélangeant à ses larmes. Sa bouche et ses narines étaient remplies de terre. Faute de pouvoir sortir par le nez, du sang lui coulait au fond de la gorge.

Toutes les bougies ayant été soufflées, l'abri commença par être plongé dans l'obscurité. Mais la toile de sac qui bouchait l'ouverture de la porte ayant, elle aussi, été arrachée, la lumière des feux qui brûlaient à l'extérieur pénétra lentement les ténèbres. Robert put voir la découpe des cages et les montants de la couchette dressés devant lui. La lumière était opaque et vague : jaune dans l'air mouvant.

Ce n'est que lorsque Rodwell se mit à parler que Robert comprit qu'il pouvait entendre. Pourtant, le pilonnage des canons lui apparaissait moins comme un bruit que comme la sensation d'être frappé à coups redoublés — des coups assenés d'en haut, qui pénétraient son ventre. Quelqu'un — ou quelque chose — pesait sur son dos. Il ne sentait plus ses jambes. Ses pieds étaient morts. Il se demandait où ils étaient. Tandis que le tir des canons augmentait d'intensité, un bruit grinçant se fit entendre de l'autre côté de l'abri. Robert tourna la tête pour voir ce qui se passait.

Le toit s'effondrait.

Le grincement était produit par les clous arrachés des étais de bois. Le toit était constitué d'une seule pièce de tôle ondulée, recouverte de terre et de sacs de sable. Il ne « tombait » pas ; il basculait lentement — se soulevant du côté de Robert, et s'affaissant de l'autre. À mesure qu'il s'inclinait davantage, la terre et les sacs de sable glissaient sur la feuille de tôle avec le bruit rocailleux d'une vague quittant une plage de galets. Une vague interminable. Robert attendit en retenant son souffle. Il croyait qu'ils allaient tous être enterrés vivants. Cependant, le bruit s'arrêta enfin, et il sembla que tout ce qui devait s'écrouler l'avait fait. Du moins pour l'instant.

L'oiseau secoua ses plumes.

Les yeux clos, le lapin se tenait pelotonné dans un coin de sa cage. Le hérisson s'était roulé en boule.

Robert dit:

«Capitaine Rodwell?

— Oui?

— Où êtes-vous?

— Sur vous.

— Vous ne pouvez pas bouger?

— Non. L'autre couchette s'est effondrée sur moi, et j'ai l'impression qu'elle est couverte de terre.»

Levitt parla de dessous la table.

«Vous croyez que je peux sortir? demanda-t-il.

— On n'est pas en train de jouer à cache-cache, rétorqua Rodwell. Ne nous demandez pas notre avis — sortez, si vous pouvez.»

Maintenant que la farine et la poussière s'étaient partiellement déposées, Robert pouvait distinguer Levitt à quatre pattes sous la table. Celui-ci quitta son abri en rampant, puis il se remit debout et entreprit de s'épousseter en battant les manches et les pans de sa capote à l'aide du Clausewitz, qu'il tenait toujours à la main. Il s'en dégagea des nuages de talc, que parfumait une odeur de lavande.

«Où est Poole? dit alors Robert, soudain conscient que le clairon n'avait donné aucun signe de vie.

— Qui est-ce? demanda étourdiment Levitt.

— Qui est-ce? Qui est-ce? Mais mon ordonnance, voyons! répliqua Robert.

— Je t'en prie, ne t'énerve pas, gémit Levitt. Je ne supporte pas les gens qui s'énervent.

— Bon. Eh bien, essaie de dégager le capitaine Rodwell — j'en ai marre de l'avoir sur le dos.

— Je veux bien, dit encore Levitt. Mais, je t'en prie, arrête de crier après moi.»

Robert ne répondit pas.

Levitt — qui n'était pas encore remis du choc — resta un moment hésitant, à regarder autour de lui d'un air désemparé.

«Mais qu'est-ce que tu attends? demanda Robert.

— Je cherche un endroit où poser mon livre.

— En ce cas, donnez-le moi, intervint Rodwell. Comme ça, vous aurez les mains libres.»

Enfin, Levitt entreprit de dégager Rodwell. «Pas si vite, se plaignit ce dernier. Vous me faites mal.» Peu à peu, Robert sentit s'alléger le poids qui pesait sur son dos. Lorsque sa circulation se rétablit et que ses orteils commencèrent à le faire souffrir, il comprit que ses jambes étaient intactes. Puis il y eut un brusque cri de triomphe, et Robert vit apparaître les genoux de Rodwell à côté de ceux de Levitt.

«Ouf!» s'exclama Rodwell — et il se mit à rire.

Les deux autres prirent Robert par les bras et l'aidèrent à se mettre debout. Dès qu'ils le lâchèrent, il tomba sur les genoux.

«Quelque chose de cassé?» s'inquiéta Rodwell.

Robert expliqua que ses jambes s'étaient engourdies et se mit à se masser les mollets. Cependant, Rodwell récupérait ses cages une à une, tout en murmurant des paroles rassurantes. Il les aligna près de l'escalier et mit le crapaud par-dessus. Toutes les bêtes avaient survécu, quoique le hérisson restât obstinément en boule.

De son côté, Levitt ramassait ses livres, les essuyait de la manche et les empilait sur la table. Le toit, à demi effondré, laissait voir un ciel houleux et orangé;

d'épaisses volutes de fumée s'y bousculaient, comme s'il y avait eu une tempête de feu.

Rodwell alluma quelques bougies et les plaça sur la pile de livres, qui constituait la seule surface plane de l'abri.

« Ça ne vous ferait rien de les mettre ailleurs, protesta Levitt. J'essaie tant bien que mal de nettoyer et de ranger un peu, et vous ne trouvez rien de mieux à faire que de semer la pagaille derrière moi. Je vous en prie — ne touchez plus à mes livres! » Il y avait dans sa voix une note d'hystérie qui ne laissait rien présager de bon. « D'accord, d'accord, s'empressa de répondre Rodwell. Tout ce que vous voulez. » Et il tenta de fixer les bougies par terre, où la plupart d'entre elles eurent tôt fait de s'éteindre.

Brusquement, Robert se leva.

Poole.

La banquette taillée dans le sol où il reposait quelques instants plus tôt avait complètement disparu.

Robert se mit à fouiller les décombres. Aussitôt, Rodwell lui prêta main-forte.

« Ça ne va pas, non? s'indigna Levitt. Vous ne voyez pas que vous êtes de nouveau en train de tout mettre en désordre? J'en ai marre, à la fin! »

Robert lui répondit par une gifle.

Instantanément, Levitt fit demi-tour et sortit de l'abri en courant.

Rodwell dit : « Il va revenir..., ne vous inquiétez pas », et ils se remirent au travail.

Les décombres étaient un mélange de glaise, de briques et d'éclats de bois. En partie brûlants, et en partie glacés. Là où ils étaient humides, les doigts s'enfonçaient sans retirer quoi que ce soit, sinon un peu d'argile sous les ongles. Robert était en sueur. Rodwell avait trouvé par terre une fourchette et une cuiller dont il se servait maintenant pour creuser. En vain. Mais la futilité de leurs efforts ne les arrêtait pas. Une à une, les dernières bougies s'éteignirent. Il n'y avait plus désormais d'autres lumières que celle que reflétaient les nuages de fumée par l'ouverture du toit. Robert sentit quelqu'un s'agenouiller entre Rodwell et lui. Levitt était de retour. À son tour, il se mit à creuser en silence. On n'entendait rien d'autre que le bruit des canons et des respirations haletantes. Robert commençait à avoir des crampes aux avant-bras et aux épaules. Il était convaincu qu'il n'y avait plus d'espoir. Il ne savait au juste depuis quand Poole était enseveli, mais il devait y avoir des heures (en réalité, il y avait douze minutes). Il était sur le point d'abandonner, lorsque l'homme qui se tenait à côté de lui demanda: «Au fait, qu'est-ce qu'on cherche?»

Robert se laissa tomber en arrière.

C'était Poole.

Il était sorti pour se soulager et se trouvait dehors lorsque les mines avaient explosé. Quand le tir avait commencé, il n'avait plus osé bouger.

Robert s'entendit dire: «La prochaine fois, avertissez-nous, qu'on sache où vous êtes.» Il était à la fois furieux et soulagé.

«À vos ordres, mon lieutenant», répondit Poole d'une voix contrite. Cependant, il souriait.

4 h 25

Le soir précédent, Robert avait emmené Levitt pour le présenter aux hommes. Placés sous les ordres d'un soldat de première classe, sept d'entre eux se trouvaient dans la tranchée, où ils servaient deux mortiers. Sept autres se reposaient avec un sergent dans une niche, dont ils avaient réussi à faire un abri assez confortable. Comme le front était calme et qu'il n'y avait pas d'instructions particulières à donner, Robert s'était contenté de faire de rapides présentations. Après quoi, il s'en était allé. Maintenant, il se tenait devant l'Abri au Vitrail (car c'est ainsi qu'on l'appelait en l'honneur de la collection de Devlin) et regardait l'endroit où s'était trouvée la tranchée.

Il n'en restait rien. À sa place, il y avait un trou.

La vision était fragmentaire et changeante. Le froid faisait pleurer Robert. La fumée des obus accrochait la lumière et la diffusait sur le champ de bataille. Des feux avaient été allumés partout où l'on avait trouvé quelque chose de suffisamment sec pour brûler. Le cratère lui-même était piqueté de brasiers, les uns en jalonnant le bord, les autres allumés sur ses flancs et jusque dans le fond. Tout paraissait bouger au ralenti — les choses mêmes qui tombaient avaient l'air de flotter. Pour la plupart, les bombes éclataient avant de toucher le sol, et l'on eût dit que toutes les étoiles s'abattaient du même coup sur la terre. Il y avait quantité de bruits, mais qui paraissaient sans rapport avec ce qu'on voyait. Le pilonnage des canons (qui désormais tiraient des deux côtés) n'avait rien à voir avec l'explosion des obus, et l'explosion des obus, rien à voir avec le grondement du sol. Plus rien n'était synchronisé.

D'un pas hésitant, Robert se dirigea vers le cratère, convaincu qu'un des hommes au moins devait avoir survécu. Mais il n'y avait plus rien des tranchées. Il commença à marcher vers le nord-est, c'est-à-dire en direction de Saint-Éloi, qui semblait n'être plus qu'un immense brasier brûlant sur l'horizon. Cependant, lorsqu'il eut parcouru environ trois cents verges, il renonça. C'était de la folie. Les boyaux de communication étaient pleins de cadavres et de blessés, parmi lesquels s'activaient des brancardiers, dont Robert ne pouvait que gêner le va-et-vient. Plutôt que de continuer, il décida alors de se rendre au bureau des transmissions, dont il imagina qu'il devait servir de point de ralliement à tous les survivants. Il fit demi-tour et revint sur ses pas.

Les ténèbres étaient semées d'embûches, et il ne cessait de tomber. Une fois, la main qu'il mettait en avant pour se retenir arriva en plein sur un visage. Il s'excusa — bien qu'il sût que l'homme était mort. Une autre fois, il tomba dans un trou où il y avait un rat. Le trou était plein d'eau, et à chaque fois que le rat essayait d'en sortir, les bords s'effondraient sous ses pattes. Robert craqua une allumette, attrapa l'animal par la queue, et le relâcha dans la nuit. Après coup, il se demanda s'il lui avait fait une grande faveur en lui sauvant la vie — mais, en même temps, il songeait : *Il y a encore ici un être vivant.* Et le mot *vivant* lui semblait merveilleux.

La distance que Robert avait à parcourir ne dépassait pas un quart de mille. En courant, il aurait normalement fait ce trajet en moins de sept minutes. Cette nuit-là, il lui fallut une heure.

5 h 30

Robert ne pouvait joindre son chef de corps pour obtenir des ordres. La plupart des lignes étaient hors d'usage, et celles qui faisaient exception étaient constamment utilisées par les commandants de batteries et autres officiers supérieurs. Le bureau des transmissions, installé dans une ferme, était aussi actif qu'une Bourse des valeurs un jour de baisse. L'aube commençait à poindre, et des hommes venus de l'arrière se déversaient dans les tranchées de communication. Sur la ligne de chemin de fer conduisant à Wytsbrouk, des wagons en plates-formes chargés de blessés se succédaient dans un fracas de roues grinçantes, tirés par d'énormes chevaux noirs ou poussés par des blessés encore capables de marcher.

Tandis que Robert attendait pour envoyer son message, soixante ou soixante-dix obus éclatèrent à proximité de la ferme. Par chance, les Allemands avaient mal réglé leur tir, et la plupart des projectiles tombèrent nettement à gauche du bâtiment. Un ou deux seulement faillirent atteindre leur but, et tout le monde se jeta alors sur le plancher, dans un tintamarre de gobelets de fer-blanc et de casques entrechoqués. Car on pouvait entendre les obus quatre secondes environ avant leur arrivée.

Alors qu'il se relevait après l'une des plus chaudes alertes, un jeune homme aux yeux pétillants se tourna vers Robert pour lui lancer: «Est-ce que ce n'est pas *merveilleux!*» Robert acquiesça vaguement avant de s'éloigner. Cependant, l'autre continuait son manège et répétait à qui voulait l'entendre — y compris à un lieutenant-colonel: «Est-ce que ce n'est pas merveilleux! Absolument merveilleux!» Robert sortit et s'appuya contre le mur pour fumer une cigarette.

Robert eut de la chance. Son commandant de compagnie, le capitaine Leather, arriva bientôt de Wytsbrouk sur l'un des wagons en plates-formes, avec une section de renfort, quatre mortiers de tranchées, et quantité de munitions.

«Ah! vous êtes là, Ross! C'est parfait! Parfait!» s'exclama-t-il en sautant du wagon en marche pour se précipiter dans la cour de la ferme. On eût dit que le rendez-vous avait été prévu des semaines à l'avance. Robert examina rapidement les voitures pour voir s'il avait amené avec lui un autre officier subalterne; mais ce n'était pas le cas, et il sentit son estomac se nouer en comprenant qu'il serait seul pour faire exécuter les ordres que lui dicterait le capitaine Leather. Ce dernier le fit entrer dans la salle des transmissions, où ils se mirent aussitôt à consulter la carte. Leather voulait que Robert lui expliquât la situation. «C'est ça. C'est ça», ne cessait-il de répéter tandis que Robert lui montrait où les mines avaient éclaté et lui disait dans quel état il croyait que se trouvaient les tranchées où il s'était rendu durant la nuit. «C'est ça», dit-il encore lorsque Robert lui raconta qu'il n'avait réussi à repérer aucun de ses hommes et qu'il craignait qu'ils ne fussent tous morts. Leather étudia un moment la carte en silence, et déclara enfin: «Nous nous placerons là.» Puis il précisa l'endroit où les canons devraient être installés: «Ici et ici», «Là et là». *Ici et ici* ne posait pas de problème; en revanche, *Là et là* paraissait mortellement dangereux. Robert crut bon de signaler que ces deux dernières positions se trouvaient certainement à l'extrémité opposée du cratère, et devaient, par conséquent, être toutes proches des lignes allemandes. « C'est ça », commenta Leather d'un air particulièrement satisfait. Et Robert se sentit réduit au silence.

Il voulait avertir le capitaine Leather de l'état où se trouvait Levitt..., il voulait lui demander un autre officier subalterne..., il voulait lui expliquer que les positions prévues étaient trop avancées ; que là où les mortiers devaient être placés, ils s'enfonceraient certainement dans la boue. Il voulait lui dire tout cela — mais il ne l'osa pas. Il sortit docilement dans la cour, où Leather lui présenta le caporal Bates, qui commandait la section. Après quoi, Leather le prit à part et lui dit d'un ton enjoué : « Je crois qu'il vaut mieux que vous sachiez tout de suite que ces hommes sont des durs à cuire. Mais vous avez l'habitude — dans l'artillerie, on n'est pas gâtés. Et puis, une fois dans l'action, ils ne devraient pas faire de difficultés... Mon cher Ross, je reviendrai vous voir aussitôt que possible ; mais, pour l'instant, il me faut aller inspecter les deux autres batteries. — Merci, mon capitaine », fit mécaniquement Robert en claquant des talons. Il se sentait perdu. « C'est bon, c'est bon », dit encore Leather, qui adressa un petit signe de main à Bates avant de s'engouffrer à l'intérieur pour prendre une tasse de thé. « Est-ce que ce n'est pas *merveilleux !* », entendit une dernière fois Robert avant que la porte ne se referme.

7 heures

La section comprenait vingt-deux hommes, auxquels s'ajoutaient Robert et le caporal Bates. Ce dernier était parfait. Trapu et rondouillard, tout comme Regis il venait de Regina. « Tiens, tiens, tiens ! » disait-il à tout propos. « Depuis que j'ai quitté la maison, c'est la première fois que je vois un endroit aussi moche », gémissait-il. « Franchement, mon lieutenant ! C'est pire que le cyclone de 1912 ! » Ou encore : « Franchement, c'est pire que l'inondation de Wascana ! » Robert l'aimait bien parce qu'il le sentait sincèrement horrifié par tout ce qu'il voyait, alors que tant d'autres semblaient rester indifférents. Ils furent rendus en une demi-heure. Malgré d'épais nuages de neige, il faisait maintenant grand jour, et l'on pouvait éviter les trous creusés par les obus. Du moins ceux qui existaient déjà. Quant à ceux que l'incessant bombardement ouvrait pratiquement sous leurs pas, ils firent deux victimes ; mais Bates se contenta de crier : « Continuez, ce n'est rien — celui qui s'arrête, je le descends moi-même ! » Robert l'en croyait parfaitement capable ; aussi avait-il dégainé son pistolet de manière à pouvoir se défendre contre son caporal trop zélé au cas où il lui arriverait de tomber. Il avait décidé de conduire la section jusqu'à l'Abri au Vitrail, car il éprouvait le besoin impérieux de se retrouver dans un endroit qu'il connaissait afin de pouvoir se ressaisir avant de s'attaquer à l'installation des mortiers.

7 h 30

Levitt était parfaitement calme. D'un calme presque déconcertant. C'est à peine s'il protesta lorsque Robert le pria d'enlever sa capote, trop lourde pour être portée dans la boue, où il était indispensable de conserver la plus grande liberté de mouvement possible. Robert lui confia la tâche la moins difficile, après quoi ils s'en allèrent. Rodwell les accompagna à la porte pour les regarder partir. «Avec Poole, essayez de maintenir le feu, lui demanda Robert. Comme ça, on pourra faire du thé aussitôt qu'on sera rentrés.»

Rodwell acquiesça. Il avait l'air sombre. «Si seulement le ciel se dégageait! dit-il. La température baisserait, et le gel est encore le meilleur moyen de nous débarrasser de cette sacrée boue.»

Robert remarqua alors que son uniforme en était couvert.

«Et chez vous, quelles nouvelles? demanda-t-il.

— Pas très réjouissantes», répondit Rodwell. Il avait perdu jusqu'au dernier de ses hommes.

8 h 15

Lorsqu'ils eurent atteint ce qui restait de la tranchée, ils constatèrent que celle-ci était complètement coupée de l'arrière, de sorte qu'aucun des morts et des blessés que Robert y avait vus avant le lever du jour n'avait pu être évacué. Assis ou couchés, ils encombraient le passage. Aucun d'entre eux ne pouvait se tenir debout. Un homme gémissait sur une civière, entre deux brancardiers morts, roulés en boule comme des chenilles. Ceux qui étaient capables de marcher s'en étaient tous allés; et sans doute ceux qui étaient demeurés là devraient-ils attendre jusqu'au soir pour qu'on vienne les chercher. Il n'était pas question que Robert et les autres s'arrêtent. Les ordres leur interdisaient formellement de revenir sur leurs pas — même pour un camarade mourant. Seuls les blessés étaient autorisés à rester avec les blessés. Çà et là, deux hommes étaient installés côte à côte et partageaient une cigarette ou essayaient tant bien que mal de se panser l'un l'autre; mais, pour la plupart, ils étaient seuls et regardaient dans le vide. Personne ne parlait. Les morts gisaient la tête dans la boue ou tournée contre le mur de terre — c'était la meilleure façon de les distinguer des vivants. Tous étaient uniformément gris. Leur sang même avait perdu sa couleur. De leurs corps, montait une vapeur verdâtre. Il faisait sombre. La tranchée ressemblait à un tunnel dont la voûte eût été obscurcie de fumée. Le tir de barrage qui se poursuivait à l'arrière semblait désormais bien lointain. Chaque pas coûtait un effort, que mesurait le bruit mou des chaussures arrachées à la glaise.

Soudain, il y eut un souffle d'air froid.

Robert s'arrêta.

Bates le rejoignit et s'accroupit à sa hauteur.

Devant eux, la tranchée s'était complètement effondrée. Parmi la terre qui l'obstruait, outre des fragments de poutres, des morceaux de tôle et des sacs éventrés, on distinguait des casques, des bottes, une main, et des *dos* qui avaient bien dû appartenir à des hommes. Robert n'osait pas regarder. Il aurait souhaité être myope. Il était content de porter des gants.

La « tranchée » avait peut-être cinq pieds, cinq pieds et demi de haut ; au-delà — à découvert — se trouvait le cratère. De là où ils étaient, tout ce qu'ils pouvaient voir, c'était la distance qu'il leur faudrait parcourir. Cent cinquante verges. Cent cinquante pas, songea Robert. *Quelques secondes, si je pouvais courir.* Bates et lui rampèrent jusque derrière le parapet de la tranchée. Armé de ses jumelles, Robert étudia le cratère. Il y avait des cadavres — mais pas autant qu'il l'aurait imaginé : peut-être une douzaine seulement, disséminés sur le pourtour. Le fond était plein d'eau. Il voyait son niveau monter. Mais il était impossible d'en estimer la profondeur, tout comme il était impossible de savoir jusqu'où l'eau allait s'élever. La région de Saint-Éloi était tout entière située au-dessous du niveau de la mer. Avant la construction des digues, elle devait être complètement submergée.

Pour sa part, Bates ne regardait pas le terrain. Il regardait Robert. C'était lui, la grande inconnue — un enfant déguisé en homme avec un foulard bleu autour du cou, dont la tâche consistait à les conduire au combat et à les en ramener vivants. Pour lui — Bates — c'était là, dans la guerre, la première raison d'avoir peur : ne pas connaître ceux qui vous disaient que faire, où aller, et à quel moment. Ils pouvaient être fous — ou simplement idiots. Ils pouvaient être courageux et incapables d'évaluer le danger — exiger de vous l'impossible. Il détourna les yeux. Il pensa qu'enfant il avait dû aussi se fier à ses parents. C'était peut-être la même chose. Les parents aussi pouvaient être fous — ou simplement idiots. Tout de même, il aurait bien voulu que son père soit là, et lui dise que faire. Il sourit. Il savait que, s'il avait été là, son père aurait jeté un coup d'œil au cratère et lui aurait dit de ne pas y aller.

Les plates-formes des canons devraient être taillées dans le flanc opposé, à dix pieds environ du bord. Quant à savoir comment, c'était une toute autre question — une question à laquelle le capitaine Leather n'avait évidemment pas jugé nécessaire de s'arrêter. Pour lui, comme pour la plupart des officiers de l'arrière, un cratère était une chose toute théorique, dont son imagination pouvait jouer sans tenir compte des réalités. C'était un point sur une carte, un simple trou dans le sol. Qu'il ait un diamètre de quatre-vingt-dix ou cent quatre-vingt-dix pieds, une profondeur de vingt ou quatre-vingts pieds n'avait pas d'importance. Après tout, un trou n'était jamais qu'un trou, et le seul parti qu'on en pouvait tirer était d'y mettre des mortiers.

Robert pensait : dans une heure — deux tout au plus — j'aurai terminé. Ce qui m'attend sera derrière. Je serai de retour à l'abri, à boire du thé avec Rodwell et le crapaud, et j'enverrai quelqu'un annoncer que ma mission est accomplie. D'ici là, tout sera fini. « Vous êtes prêt ? demanda-t-il à Bates.

— Oui, mon lieutenant.

— Vous voyez, ce truc, là, qui ressemble à un bâton de ski ?

— Oui, mon lieutenant.

— C'est le point que nous essaierons d'atteindre.

— Bien, mon lieutenant. »

Robert dit encore à Bates d'attendre qu'il ait trouvé un passage à l'intérieur du cratère avant de venir le rejoindre. Les hommes ne suivraient que lorsqu'on aurait déterminé la route et qu'on se serait assuré de sa sécurité.

« À vos ordres, mon lieutenant. »

Robert sortit de son abri et se mit à ramper dans la boue. À cet endroit précis, il ne restait plus rien de la neige ; elle avait été complètement balayée par l'explosion. Il maudit le masque à gaz qui, attaché autour de son cou, ne cessait de glisser sur son torse et de lui comprimer la poitrine. Ses jumelles lui battaient les flancs. Sa nuque était une cible attendant la balle qui allait le tuer. Tout le monde prétendait que, ce coup de feu-là, on ne l'entendait pas. Il vous atteignait sans avertissement. Mais comment quelqu'un de vivant pouvait-il le savoir ?

Robert se retourna pour aborder le cratère les jambes les premières, et vit Bates qui l'observait en se rongeant les ongles. Il se poussa à l'intérieur, et se mit aussitôt à glisser le long de la pente.

Son masque à gaz lui remonta sous le menton, et il craignit un instant qu'il ne lui rompe le cou ou ne lui perfore la trachée-artère. Les doigts griffant le sol, il essayait désespérément de ralentir la chute. Il pensait bien que le terrain serait humide, mais jamais il n'aurait imaginé qu'il pût être glissant à ce point. Et rien où s'accrocher. Soudain, sa main se referma sur une main tendue, mais ce geste n'eut d'autre effet que de précipiter un cadavre au fond du cratère, où il entra dans l'eau la tête la première. Enfin, ses genoux heurtèrent quelque chose de dur. C'était un fusil enfoncé dans la terre. Il crut que ses rotules allaient éclater et ne put retenir un cri de douleur. Mais au moins était-il arrêté. Il avait dépassé le milieu de la pente.

Robert se roula sur le dos et s'assit, les jambes de part et d'autre du fusil. Il se massa délicatement les genoux. Il avait horriblement mal. Il regarda alentour, mais ne vit personne, hormis le cadavre qui gisait au-dessous de lui, les bras en croix, la tête sous l'eau. Lentement, il se leva. Le fusil était si bien fiché dans le sol qu'il pouvait s'y accrocher sans risques. Mais il allait falloir qu'il bouge, qu'il gagne un endroit d'où il pourrait voir Bates et lui faire signe de venir le rejoindre. Il se mit donc à quatre pattes et commença de se déplacer le long de la pente, les pieds tournés vers l'extérieur, en prenant soin d'enfoncer le plus possible ses talons dans l'argile. À chaque pas, ses genoux le faisaient souffrir davantage. Il avait très peur de glisser. Cependant, l'idée qu'une balle ou un obus pourraient l'atteindre ne semblait pas le déranger. Le sol était si gras qu'à chaque fois qu'il y posait la main, de l'eau putride sourdait entre ses doigts. Enfin, comme il tournait la tête, il aperçut Bates au sommet du cratère. Plus de vingt pieds le séparaient de lui. Robert le vit glisser vers le fusil et atterrir sur ses pieds avant de poursuivre sa propre route.

Un à un, les hommes le suivirent sans qu'il y eût d'incident. Ceux qui portaient les pièces des mortiers les attachaient à des cordes et les laissaient couler vers leurs camarades avant de descendre à leur tour. Il n'y avait toujours aucun signe de l'ennemi. Pas le moindre shrapnel n'éclatait dans les environs. Ce « silence » inquiétait Robert. Il s'attendait à voir d'un instant à l'autre surgir les Allemands sur les bords du cratère. Si cela se produisait, ils n'auraient pas une chance sur un millier d'en réchapper. Ils se feraient abattre sans même pouvoir riposter. En effet, Robert était le seul à posséder une arme — en dehors des mortiers, bien sûr ; mais aussi longtemps qu'ils n'auraient pas été montés, ceux-ci ne pourraient être d'aucune utilité.

Robert se trouvait maintenant droit en dessous du « bâton de ski ». Par chance, de ce côté, la pente n'était pas aussi rapide que là où ils étaient descendus. Robert monta sans difficulté jusque tout près du bord. Au-delà, s'étendaient les dernières douze verges du *no man's land,* puis les tranchées ennemies. Les plates-formes pouvaient parfaitement être taillées à l'endroit où il se tenait. Du point de vue mathématique, c'était une bonne position. Robert regarda vers le bas et fit signe à Bates que les sapeurs pouvaient monter et commencer à creuser. Puis il se retourna pour examiner ce qu'il avait pris pour un bâton de ski.

C'en était effectivement un.

Quatre hommes creusaient. Une seconde plate-forme avait été commencée six ou sept verges à gauche de la première, où Robert se trouvait assis. Personne ne parlait. Un des canonniers s'amusait à jeter dans l'eau des mottes de terre — comme un enfant à High Park le dimanche après-midi, songea Robert.

Il sortit son calepin et son crayon, puis, mesurant l'angle de la pente, il se mit à ses calculs. Il était à ce point absorbé qu'il remarqua à peine que le tir de barrage s'était arrêté. Pourtant, le silence lui fit dresser l'oreille, et il leva les yeux de son travail.

En bas, le canonnier venait de lancer une nouvelle motte. Elle atteignit l'eau avec un bruit de bombe. Les hommes s'étaient figés. Le silence ne pouvait signifier qu'une chose : les Allemands allaient attaquer. Soudain, au-dessus de leurs têtes, un oiseau se mit à siffler. Quelqu'un jura, comme si, par son chant, l'oiseau les eût donnés.

Robert regarda le ciel. Il commençait à s'éclaircir. Les nuages d'acier se séparaient les uns des autres pour fuir plus vite vers l'horizon. C'était dangereux. Et la fumée aussi semblait se dissiper. Ils n'auraient plus rien pour les protéger. Robert remisa prudemment son calepin et son crayon, puis sortit son automatique. Il fouilla ses poches pour compter ses chargeurs de réserve : sept. Il compta et recompta : il n'en avait que sept. Chacun d'eux contenait sept balles. *Sept. Sept. Sept fois sept quarante-neuf. Plus sept, cinquante-six.* Si toutefois le chargeur qui se trouvait dans l'arme était plein — il ne se rappelait plus. Si, il avait tiré une fois — sur une boîte de conserve. Mais quand ?

« Mon lieutenant ? dit un homme en s'approchant de lui.

— Chut ! fit Robert.

— Regardez, mon lieutenant ! » reprit l'homme un ton plus bas.

Robert regarda dans la direction qu'il lui indiquait.

Rampant par-dessus le bord du cratère, un brouillard bleu pâle était apparu, semblable à un voile que sa mère aurait pu porter.

Robert cligna des yeux.

Le voile glissait et s'étalait au-dessus d'eux, emprisonnant l'air humide et froid qui montait de l'eau.

Seigneur.

Les gaz.

Bates les avait rejoints.

« Mettez vos masques à gaz », siffla Robert entre ses dents.

Bates ne bougea pas.

« Mettez votre masque à gaz, caporal Bates !

— Je ne peux pas.

— Comment ça, vous ne pouvez pas ? »

Robert se détourna, et, d'une voix étouffée, il ordonna aux hommes qui se trouvaient au-dessous de lui :

« Mettez vos masques à gaz !

— Nous ne *pouvons pas*, répéta Bates. On était tellement pressé de nous envoyer ici, qu'on ne nous en a même pas donnés.

— Voyons, mais ce n'est pas possible ! » s'indigna Robert. C'est comme si on lui avait dit que les hommes n'avaient pas de chaussures.

« Si, mon lieutenant, rétorqua Bates. C'est possible — et c'est la vérité. » Il tremblait. Il grelottait. Sa voix était à peine audible. Et Robert ne pouvait rien faire. Il regarda les gaz tendre leur voile au-dessus du cratère comme une toile d'araignée. Déjà, par place, leur nuage commençait à descendre vers eux.

Sans réfléchir, Robert cria: «Sautez!», et il s'élança d'un bond vers le fond du cratère.

Voyant qu'il n'y avait rien de mieux à faire, un à un, les hommes l'imitèrent — et ils se retrouvèrent tous dans l'eau, sans trop savoir comment ils étaient descendus.

Cependant, le cauchemar ne faisait que commencer. L'eau était si profonde qu'on ne pouvait toucher le fond. Un des hommes s'était cassé une jambe en tombant. Trois autres ne savaient pas nager. Dans la bousculade, deux ou trois cadavres avaient dévalé la pente, et, après avoir coulé comme des pierres, ils remontaient à la surface pour se mêler aux vivants. Tandis qu'avec Bates, il ramenait au bord ceux qui ne savaient pas nager, Robert découvrit que l'homme qu'il croyait être en train de sauver était déjà mort. Son corps s'était si bien accroché à lui qu'il eut du mal à se dégager pour le rejeter à l'eau. Il n'était pas question d'observer le silence — ni aucune consigne de sécurité. Ce n'étaient plus des soldats au combat — seulement des hommes pris de panique au fond d'un entonnoir comme dans une trappe, luttant contre le double et mortel péril que représentaient la noyade et les gaz. Huit hommes — et un seul masque à gaz. Robert dut se battre pour le conserver. Enfin, couché sur le dos, il réussit à sortir son automatique, et, le tenant à deux mains, il le braqua sur Bates.

«Dites-leur de dégager, fit-il. Sinon, je tire!

— Dégagez!» ordonna Bates.

Les hommes reculèrent. Robert s'assit. Il frissonnait. Son visage ruisselait d'eau et de sueur. Il avala péniblement sa salive et regarda le nuage de gaz. « Okay. Bande d'enfants de chienne, vous ferez exactement ce que je vous dis. » L'un des hommes se mit à courir. Robert tira. L'homme tomba. Cependant, il n'avait pas été blessé, car Robert n'avait eu d'autre intention que de l'effrayer. « Écoutez-moi bien, reprit-il. Si vous tenez à la vie, vous avez trente secondes pour faire ce que je vous dis. Prenez vos mouchoirs.

— On ne nous a pas donné de mouchoirs non plus, déclara Bates.

— EN CE CAS, ARRACHEZ UN PAN À VOTRE CHEMISE, BANDE D'ABRUTIS ! »

Les hommes s'exécutèrent avec des mines de chiens battus. Celui qui s'était cassé une jambe gisait au bord de l'eau. Il avait déjà la couleur de la mort. Ses mains étaient pleines de glaise. Il ne disait mot. Il s'était mordu si violemment les lèvres qu'il saignait — les dents avaient percé la chair. Robert lança son masque à gaz à Bates. « Mettez-le-lui, dit-il. Et n'oubliez pas que j'ai un pistolet. » Bates rampa jusqu'au blessé.

Les autres attendaient. Ils tenaient à la main le pan de chemise qu'ils avaient déchiré, et, bouche bée, ils regardaient Robert.

« Alors, qu'est-ce qu'on fait ? demanda l'un d'eux. Si c'est du chlore, ce n'est pas ce bout de chiffon qui va nous sauver.

— Pissez dessus, ordonna Robert.

— Quoi ?

— PISSEZ DESSUS !!! »

Tous les hommes se tournèrent vers Bates, qui venait de rejoindre le groupe. Il jeta un coup d'œil à

Robert et haussa les épaules. Puis il adressa un signe de tête aux autres, et s'agenouilla pour se déboutonner. Il était convaincu que Robert avait perdu l'esprit — mais, qu'il fût ou non devenu fou, il fallait bien lui obéir du moment qu'il tenait une arme. Ses pires craintes se réalisaient. Il avait si peur qu'il tomba en arrière, assis comme un enfant dans le sable, une main dans sa culotte cherchant son pénis. Les gaz approchaient — six pieds, cinq pieds, quatre. Bates sentait qu'il allait déféquer. Il ne pourrait se retenir. Ses intestins avaient tourné en eau. Il ferma les yeux. *Jésus, mon Dieu, fais que je puisse pisser.* Mais il ne pouvait pas. Pas plus que les autres. Un homme se mit à sangloter. «*Fermez-la, bon Dieu!* hurla Robert. Allez, passez-moi ça.» Il lui arracha des mains son morceau de chemise, urina dessus, et le lui rendit tout dégoulinant. «Mettez ça sur le visage», ordonna-t-il. Mais le malheureux était dans un tel état de panique qu'il mit mécaniquement le torchon sur sa tête. Robert le lui reprit et lui en couvrit rageusement le visage. Puis il se tourna vers les autres et dit: «Que tout le monde fasse pareil et se couche sur le ventre, la tête dans les mains.» Ils obéirent. Sans un mot. Les gaz n'étaient plus maintenant qu'à deux pieds. Enfin, Bates réussit à uriner. Mais tous ses muscles semblaient avoir lâché en même temps, et ce qu'il redoutait arriva. Mais quelle importance, s'il s'était sali? De toute manière, il allait mourir. Ils allaient tous mourir. Il mit sur son visage le torchon humide et roula sur le ventre, la tête dans la boue. L'image de son père le quitta, laissant son esprit complètement vide.

De son côté, Robert réunit ce qui lui restait d'urine pour mouiller son mouchoir et se coucha àson tour — dans la fange, comme un pénitent.

9 h 30

Ils attendaient.

Ce qui les sauverait — peut-être — c'était un souvenir resurgi dans l'esprit de Robert. Le souvenir d'une salle de classe par une morne journée d'hiver, et, dans cette salle, l'image nette et précise de *deux petites bouteilles posées l'une à côté de l'autre.* Des cristaux se formant dans l'air. *Chlorure d'ammonium* — une poudre, une poussière inoffensive soufflée sur le dos de la main.

Dans l'une des petites bouteilles, il y avait du chlorure — mais dans l'autre? Aussi claire qu'un son de trompette — si claire qu'il croyait l'avoir entendu crier — éclata la voix de Clifford Purchas, un Clifford de douze ans qui lui bourrait les côtes à coups de coude. « De la pisse, avait-il dit. C'est de la *pisse.* » Et on l'avait mis à la porte. Maintenant, ce mot allait les sauver. L'ammoniaque de leur urine allait transformer le chlore en cristaux inoffensifs, qu'ils ne risqueraient pas d'inhaler.

10 h 30

Ils attendaient toujours.

Les gaz commençaient à se dissiper. Le vent s'était renforcé et chassait les nuages. Maintenant, il faisait très froid. Mais Robert et les hommes n'osaient pas bouger. Les Allemands pouvaient arriver d'un instant à l'autre, car, à n'en pas douter, les gaz n'avaient été que le prélude à leur attaque. Et si les Allemands arrivaient, leur seul espoir était de faire les morts — et de prier.

12 h 15

Au zénith, le soleil mourut.

Les corbeaux commencèrent à crier.

Il se mit à neiger.

13 heures

Lentement, Robert tourna la tête de côté. Pendant trois heures, il était resté complètement immobile. Il avait la nuque raide. Il glissa une main sous sa joue. Son gant lui donna l'impression d'une main étrangère. Ses cheveux étaient gelés par mèches qui tombaient sur ses yeux.

« Bates ? »

Pas de réponse.

« Bates ? »

Cette fois, il avait parlé légèrement plus fort.

« Oui, mon lieutenant, répondit-on quelque part sur la gauche.

— Je vais me retourner, me mettre sur le dos. Mais je veux que personne d'autre ne bouge.

— À vos ordres, mon lieutenant. »

Robert roula sur le côté. Pour l'instant, tout allait bien — pas le moindre bruit. Il se mit sur le dos, les bras écartés. Son mouchoir gelé collait à son gant gauche. Un coup de vent l'en arracha. Un oiseau — une sorte de fauvette — se mit à chanter : une longue note descendante, suivie de trois notes tremblées. C'était le même oiseau qui avait chanté après leur arrivée. Robert attendit qu'il recommençât. Mais rien. Pouce par pouce, il fouilla des yeux le bord du cratère. L'oiseau l'avait rendu extrêmement nerveux. *Rob the Ranger* sifflait toujours comme une fauvette lorsqu'il voyait un Indien rôder dans la forêt. Et les Indiens hululaient comme des chouettes, mugissaient, aboyaient, hurlaient comme des loups. Les cambrioleurs savaient miauler comme des chats. Tout ce qui se cachait imitait quelque animal.

Maintenant qu'il s'était retourné, Robert était l'unique tache sombre du paysage. Et cela ne pouvait signifier qu'une chose : qu'il était vivant. Tous les autres étaient couverts de neige. Mais personne n'a encore tiré sur moi, songea Robert. Si quelqu'un m'avait vu, je serais déjà mort.

La neige tombait toujours. Elle s'accrochait à ses cils. Il en sentait le goût sur ses lèvres. Un flocon fondait sur le bout de son nez. Il s'assit, appuyé sur les coudes, une main sur son arme.

Il leva les yeux vers la crête.

Rien.

Il tourna la tête à droite.

L'oiseau chanta.

Robert se figea.

Un Allemand braquait sur lui une paire de lunettes d'approche.

Sans bouger, Robert le regarda.

L'Allemand, qui était couché à l'extrême bord du cratère, baissa ses jumelles. Robert vit ses yeux. Il était très jeune. Peut-être avait-il dix-huit ans. Ce n'était pas un officier. Il n'avait ni casque ni casquette. Ses cheveux étaient gelés, comme ceux de Robert, mais blonds. Il portait des gants de laine sans doigts.

Robert le voyait parfaitement. Il le vit même avaler sa salive comme s'il était nerveux.

Bates dit : « Monsieur ? »

Robert essaya de parler sans remuer les lèvres. « Ne bougez pas, dit-il. Il y a quelqu'un. »

Bates ne répliqua rien, mais Robert entendit l'un des hommes jurer dans la boue. « Ne bougez pas », répéta-t-il — et, tandis qu'il prononçait ces mots, il vit devant lui le phénomène qui pouvait les trahir. Son haleine. Il murmura : « Que personne ne lève la tête. Continuez à respirer contre le sol. »

Pendant tout ce temps, il n'avait pas bougé. Pendant tout ce temps, l'Allemand ne l'avait pas quitté des yeux. Il doit bien y avoir une raison, songea-t-il.

Il s'assit.

Rien ne se produisit.

L'Allemand continuait de regarder Robert, mais sans plus utiliser ses jumelles. Il semblait attendre que Robert prît une initiative.

Robert pensa : Il n'est pas armé. Voilà l'explication. Ce n'est pas lui qui nous a surpris, c'est le contraire. Il a peur de bouger.

Lentement, Robert tira son pistolet et le tint de telle façon que l'Allemand ne puisse pas ne pas le voir. Toutefois, il ne le pointa pas dans sa direction. Il voulait d'abord voir quelle réaction produisait la vue de son arme. L'Allemand leva ses lunettes d'approche, regarda, puis les reposa. Ce fut tout.

Robert dit : « Bates ? N'ayez pas peur. Il n'y a qu'un homme, et je ne crois pas qu'il soit armé. Tournez-vous, pour voir. Je vous couvre. »

Bates se mit sur le dos.

L'Allemand tourna les yeux, vit Bates, et regarda de nouveau Robert. Puis il hocha la tête d'un air entendu. Curieux !

Robert ne comprenait pas très bien ce que signifiait son geste ; mais l'Allemand recommença, et cette fois comme pour dire : *Allez-y, levez-vous.*

« Debout, dit Robert à l'intention de Bates. Levez-vous. Il ne va pas tirer. »

Bates avait lui aussi observé l'Allemand. Il se leva.

« Et maintenant, qu'est-ce que je fais ? demanda-t-il.

— Montez jusqu'au sommet, répondit Robert. Par le chemin que nous avons pris pour venir. Allez-y. Mais lentement. Ne l'effrayez pas. »

Bates passa derrière lui. Désormais, il n'était plus dans son champ de vision, mais Robert l'entendait patauger dans la boue. Il ne quittait pas des yeux l'Allemand, qui, de son côté, suivait la progression de Bates. Le mouvement de sa tête était comme un miroir qui reflétait son ascension — et lorsque Bates fut arrivé au sommet, l'Allemand se retourna pour regarder Robert. Il souriait.

Robert se leva et lui adressa un petit signe d'amitié. Pour Dieu sait quelle raison, l'Allemand paraissait décidé à les laisser partir en paix.

« Allez-y, vous autres, dit Robert à ses hommes. Levez-vous. Et rejoignez Bates. »

Ils se mirent péniblement debout.

« Ne vous arrêtez pas. Ne vous retournez pas. Marchez tant que possible les mains en l'air pour qu'il voie que vous n'avez pas d'armes. Peut-être qu'il est fou, mais il n'est certainement pas dangereux. »

Un à un, quatre hommes partirent dans la direction du fusil. « Debout », dit Robert au cinquième, qui avait dû s'endormir. L'homme ne bougea pas. Robert s'approcha de lui et le retourna avec la pointe de sa chaussure. C'était celui qui, tout à l'heure, avait fait une crise de sanglots. Il était mort. Il avait les yeux grands ouverts. Il devait s'être étouffé avec le pan de sa chemise.

Robert le remit sur le ventre et se dirigea vers l'homme à la jambe cassée. L'Allemand continuait à l'observer, mais Robert se sentait parfaitement en sécurité. Il s'accroupit au bord de l'eau et fut surpris de voir qu'elle avait gelé. Trois heures avaient suffi, tant la température avait baissé. Cet homme-là aussi était mort. Sans doute des suites du choc. Ses yeux n'étaient pas visibles. À l'intérieur du masque à gaz, la vapeur avait gelé. Le dernier souffle du blessé s'était mué en glace.

Maintenant, c'était à Robert de monter.

Il allait lui falloir tourner le dos à l'Allemand.

Il n'avait pas le choix.

Il se décida.

Ce fut le genre d'ascension que l'on fait en rêve. Pour un pas en avant, il reculait de deux. Robert faillit lâcher son pistolet. Ses genoux étaient une véritable torture. Il glissait continuellement dans la neige et tombait en avant. Il s'arrêta pour regarder vers le haut de la pente. Bates l'attendait — et observait l'Allemand. Les autres avaient disparu. Ils devaient déjà être à l'abri dans la tranchée. Robert n'avait plus que six pieds environ à parcourir pour atteindre le sommet.

Et, tout à coup, Bates cria: « Mon lieutenant! »

Ce qui arriva ensuite fut si rapide et si confus que Robert ne sut jamais au juste comment les choses s'étaient passées. Il tomba. Il se retourna et vit l'Allemand se pencher par-dessus le bord du cratère. Quelque chose explosa. L'Allemand poussa un cri d'effroi. Déjà, il était mort.

Le coup de feu qui l'avait tué résonnait en tournoyant autour du cratère comme une bille dans une coupe. Robert crut que le bruit ne s'arrêterait jamais, et c'est pour y échapper qu'il reprit son escalade. Comme il arrivait au sommet, Bates lui tendit la main pour l'aider. Mais il tomba à la renverse et entraîna Robert dans sa chute. Ce dernier tomba sur lui. La chaleur qui émanait du corps de Bates le surprit — et les deux hommes restèrent étendus dans les bras l'un de l'autre pendant près d'une minute avant que Robert ne bouge. Il avait le souffle coupé. Il ne pouvait pas parler. Il voyait à peine. Il s'assit, la tête entre les genoux. Ce n'est que lorsqu'il voulut s'essuyer le visage qu'il s'aperçut que l'arme était encore dans sa main. Elle était chaude et sentait l'huile. Robert fit demi-tour et rampa jusqu'à l'endroit d'où, quelques heures plus tôt, il avait pour la première fois observé le cratère. Il voulait savoir ce qui s'était passé, pourquoi l'Allemand s'était brusquement retourné contre lui après avoir laissé les autres s'échapper.

Il prit ses lunettes d'approche, et leur pendant fut la première chose qu'il vit — dans la boue, à un pied du crâne de l'Allemand. Celui-ci ne s'était avancé que pour ramasser ses jumelles.

Robert baissa la tête. C'était encore bien pire. Juste à côté du jeune homme, il y avait un fusil — un mauser modifié du genre dont se servaient les tireurs isolés. Il aurait pu les tuer. Tous. Il en avait sans doute eu l'intention. Mais il y avait renoncé. Pourquoi?

L'oiseau chanta.

Une longue note descendante et trois notes tremblées — oscillant au bord de la tristesse.

Voilà pourquoi.

Et l'oiseau chantait, chantait toujours. Il ne cessa qu'au moment où Robert se leva pour partir. Cependant, le chant de l'oiseau devait l'accompagner, obsédant, jusqu'à la fin du jour.

De retour dans la tranchée, ils constatèrent que tout le monde était mort. Tous les blessés avaient été tués par les gaz ou le froid. Les cadavres qui gisaient dans l'eau étaient maintenant profilés dans la glace. Tout était vert : visages, doigts, boutons. Même la neige.

Mardi 29 février, jeudi 2 mars

Les jours se succédaient, enchaînés, fondus l'un dans l'autre. Les nuits, éclairées par les terribles flammes d'une arme nouvelle, ne se distinguaient plus des jours, assombris de fumée. Le sol était en feu. D'autres troupes relevaient les troupes anéanties. Les compagnies étaient réduites à la taille de sections. Robert aurait dû partager avec Levitt le commandement de vingt hommes, mais il avait complètement perdu le compte de ceux qu'il avait vus défiler. Peut-être quatre-vingts — peut-être cent. Ou davantage. Il ne le saurait qu'à la fin, au moment de faire son rapport au quartier général du bataillon. Si toutefois, il y avait une fin.

L'arme avec laquelle les Allemands attaquaient maintenant avait été introduite à Verdun. C'était ce qu'on appelait un « lance-flammes ». Des rumeurs avaient précédé son apparition — des rumeurs auxquelles personne ne croyait. Selon elles, des hommes préparaient l'arrivée des troupes sur le terrain en répandant à l'aide de tuyaux les réserves de feu qu'ils portaient sur le dos. L'eau brûlait, et la neige s'en allait en fumée. Rien ne résistait. L'arme dernière avait été inventée. De tranchées pleines d'hommes, il ne restait que cendres et poussière. Voilà ce que prétendait la rumeur. Mais, pour la plupart, les commandants riaient. Ne soyez pas ridicules, voyons ! A-t-on jamais vu du feu sortir de tuyaux! Si parfois la chose se pouvait, les hommes qui manœuvraient ceux-ci seraient les premiers à brûler! (La dynamite, les tanks, les gaz et les aéroplanes avaient suscité les mêmes réactions: *a)* jamais des hommes ne feraient de telles choses; *b)* lesdites choses n'étaient pas possibles — jusqu'au jour où il avait fallu se rendre à l'évidence.) Les lance-flammes firent leur apparition à Saint-Éloi le 29 février (1916 était une année bissextile). Quatorze «porteurs» arrivèrent dans le *no man's land* à peu près à l'heure du couchant, avec des plastrons de métal ornés d'une grande croix rouge. Ce n'était pas la croix de miséricorde, mais l'emblème des unités spéciales qui, présentées au Kaiser un mois plus tôt seulement, avaient soulevé son enthousiasme. Le haut commandement allemand avait mis tant d'espoir dans cette nouvelle arme qu'il avait baptisé l'offensive de Verdun où elle devait être utilisée pour la première fois: opération *Gericht.* Opération Jugement.

Des tempêtes de feu s'abattirent sur le front. Foudroyés, des hommes explosaient. Des vents aussi puissants que des cyclones arrachaient les canons du sol et les projetaient en l'air comme des jouets. Des chevaux s'écroulaient, les os en feu. Des hommes étaient aveuglés par des souffles brûlants. Le sang jaillissait des nez, des oreilles et des bouches. Des sources et des puits étaient taris et obstrués par les corps de ceux, hommes ou bêtes, qui avaient espéré y trouver le salut. L'ouragan se prolongeait durant des heures — jusqu'au moment où, l'argile cuite, la terre calcinée, le feu avait transformé le sol en désert.

Rodwell et Poole étaient parvenus à remettre en place le toit de l'abri. Levitt semblait avoir complètement perdu la tête et restait assis sans bouger, ses livres empilés sur les genoux, jusqu'à lui toucher le menton. Devlin, Bonnycastle et Roots ne faisaient que passer. Un jour, Robert et Bonnycastle eurent une discussion qui faillit mal tourner. Il s'agissait de savoir à qui incombait la garde des canons. Mais il n'y avait plus de canons. On les avait abandonnés dans le *no man's land. Pas du tout. Roots en avait apporté d'autres. Mais non. Mais si. Mais non.* Combien d'artilleurs restait-il? Et le dénommé Bates, que devenait-il? De son côté, Rodwell disparut pendant vingt-quatre heures. Personne n'avait la moindre idée de l'endroit où il se trouvait. Personne ne savait si sa section existait toujours. Le lapin, le hérisson et l'oiseau étaient morts, asphyxiés par les gaz. Rodwell avait sauvé le crapaud en le plaçant dans le seau d'eau potable, par-dessus lequel il avait mis les vitraux de Devlin. Il buvait par les pores de sa peau. Il pouvait vivre dans l'un ou l'autre élément, avait expliqué Rodwell. Par ailleurs, dans sa torpeur hivernale, le crapaud ne respirait que trois fois par minute. «Il y en a qui ont de la chance!» plaisantait-on.

Et puis — le vendredi — ce fut tout à coup le silence. La bataille était terminée.

Robert sortit et se planta sur le toit.

Il pleuvait.

La terre s'était éteinte, mais elle resta brûlante pendant un jour encore.

Vendredi 3 mars

Rodwell réapparut.

Il avait reçu un ordre de déplacement.

Il prit congé de chacun et dit qu'il avait une lettre à écrire. Il mangea une boîte de pêches. Bonnycastle le regarda faire et finit par lui demander du jus. Rodwell lui tendit la boîte. Puis on débarrassa la table et on lui amena du papier (la page de garde du troisième volume de Clausewitz). Enfin, on le laissa seul.

Sur ces entrefaites, le capitaine Leather fit une apparition. « Hum! grogna-t-il, c'est ça, c'est ça... », et il se mit à contempler le champ de bataille. « Surprenant. Tout à fait surprenant. » Les mains derrière le dos, il se retourna. Robert, Levitt, Poole et Devlin regagneraient Wytsbrouk, tandis que Roots et Bonnycastle resteraient avec les hommes. « Quel dommage que Ross ait abandonné ces canons dans le cratère », ajouta-t-il en s'adressant précisément à Robert. « C'est moi, Ross », expliqua ce dernier. « Ah bon... Dommage quand même... » Puis il toussa. Ils levèrent tous les yeux pour regarder un aéroplane. « Libre comme l'oiseau », commenta le capitaine Leather. Enfin, il s'en alla.

« Si j'ai bien compris, vous partez? » dit Rodwell. Et il tendit son sac à Robert. « Il y a là mes croquis. Et le crapaud. Lâchez-le dans la boue. Aussi loin du front que possible. De préférence dans un endroit où il reste un peu de verdure — si ça existe encore! » Il rit.

« Cette lettre... » (une feuille de papier simplement pliée en deux) « croyez-vous pouvoir la poster? Ce serait très gentil... Je n'ai pas d'enveloppe, mais j'ai noté l'adresse dessus.

— Où est-ce que vous allez? demanda Robert.

— Je ne sais pas. Quelque part sur le front. »

Il haussa les épaules.

« Prenez soin du crapaud. Adieu. »

Il tendit la main à Robert.

Robert la prit.

« Vous nous manquerez », dit-il.

Rodwell sourit.

La lettre était adressée: «À ma fille Laurine.»

Robert, Poole, Levitt, Devlin et ses vitraux prirent lentement le chemin du bureau des transmissions. Arrivés là-bas, on mit Levitt sur une voiture où se trouvaient déjà installés un certain nombre de blessés. Levitt avait emporté ses livres avec lui, mais ils étaient dans un tel état de délabrement qu'on ne voyait guère comment il serait encore possible de les lire.

Il faisait beau et froid. L'air était si pur que les distances en semblaient raccourcies. Robert marchait à côté du cheval, immédiatement derrière Poole, dont il voyait le clairon se balancer dans le dos. Le métal terni en était presque noir.

Levitt dit: «Je me demande ce qu'on va faire de nous, maintenant.» Ce à quoi Devlin, qui marchait à côté de lui, répondit: «Il va bien falloir qu'on se repose un peu.»

Dimanche 5 mars

Le samedi, Robert apprit que Rodwell s'était suicidé. On lui avait confié le commandement d'une compagnie dont les hommes avaient vécu toute la bataille dans les tranchées sans être relevés. Certains étaient devenus fous — ce qui, sans doute, était compréhensible. En arrivant, Rodwell les trouva occupés à faire la chasse aux rats et aux souris, qu'ils grillaient tout vivants dans des poêles à frire. Étant ce qu'il était, Rodwell essaya de les arrêter. Mais ils ne voulurent rien entendre, et, le voyant sensible, ils le forcèrent à assister au massacre d'un chat. Une demi-heure plus tard, Rodwell errait dans le *no man's land* et se tirait une balle dans la tête.

Le dimanche, Robert s'assit sur son lit, dans le vieil hôtel de Bailleul, et il se mit à lire ce que Rodwell avait écrit :

> *À ma fille Laurine,*
> *Aime bien ta mère.*
> *Prie contre le désespoir.*
> *Je suis vivant dans tout ce que je touche. En tenant cette page, c'est moi aussi que tu tiens dans tes mains. Toute chose vit pour l'éternité. Sois-en sûre. Rien ne meurt.*
> *Je suis ton père à jamais.*

Puis son nom, suivi d'une obscure adresse à Listowel. Jamais Robert n'avait entendu parler de cet endroit. Mais il saurait bien découvrir où il se trouvait.

Janvier, février, mars 1916

Mrs. Ross commença à rechercher le mauvais temps. Dès qu'il y avait de la pluie, du vent ou de la neige, elle appelait Davenport et lui disait : *« Mettez votre chapeau. Nous sortons. »*

Parfois, elle se promenait dans le vallon — c'est-à-dire au fond du ravin, avec ses hauts coteaux boisés et sa piste cavalière — et, parfois, dans les rues de Rosedale. Mrs. Ross s'emmitoufflait dans ses voiles et dans ses écharpes, puis fixait ses chapeaux à l'aide de longues et méchantes épingles avec lesquelles il lui arrivait de se blesser. Elle marchait à une allure redoutable, qui laissait souvent Davenport à un demi-pâté de maisons derrière elle.

Mrs. Ross aimait par-dessus tout la pluie et la neige. Elle rejetait alors sa voilette en arrière pour les sentir directement sur son visage. Dans la rue, elle ne parlait à personne. Si parfois il lui arrivait de croiser une connaissance, elle fermait les yeux et la laissait passer sans la voir. Elle portait une canne — jamais de parapluie — avec laquelle elle s'amusait à frapper les montants des réverbères. Un jour, alors qu'elle traversait le pont de Sherbourne Street dans une tempête de neige, elle s'arrêta, jeta sa canne par-dessus le parapet, et la regarda disparaître parmi les branches des arbres. « Ça y est, dit-elle, elle est partie. » Et elle resta plantée là jusqu'à ce que ses fourrures fussent toutes couvertes de neige et que Mr. Aylesworth arrêtât son automobile pour demander si tout allait bien. Davenport aurait volontiers accepté de monter avec lui, ainsi qu'il le leur proposait, mais Mrs. Ross refusa sous prétexte qu'elle avait encore des courses à faire: elle voulait acheter une nouvelle canne chez Ely's.

Début février, lorsque, à Ottawa, les bâtiments du Parlement furent complètement rasés, Mrs. Ross acheta tous les journaux pour lire les comptes rendus du désastre, découpa ceux-ci, et les rangea dans le tiroir de son bureau. Elle les étudia avec un soin méticuleux, surchargeant les marges de notes. Elle croyait que son pays allait être détruit par le feu, et le dit à Davenport. Elle était en outre impressionnée par le fait que, lorsque les cloches de la tour centrale s'étaient effondrées, elles étaient en train de sonner minuit, dont elles n'avaient pu frapper que les onze premiers coups. À côté de cette information, elle écrivit: *« Plus jamais il ne sera minuit. »* C'était comme une prière.

En mars, tandis que le vent s'engouffrait par rafales

au fond du ravin, Mrs. Ross mettait de vieilles bottes de caoutchouc et sortait dans la boue. Quand la tempête était particulièrement violente, elle se retournait et marchait à reculons jusqu'au bord de la rivière. Chaussée de galoches, Davenport essayait de la suivre, glissant sur les feuilles mortes, trébuchant sur les racines, se raccrochant aux branches pour ne pas tomber. Parfois, elle renonçait à continuer et attendait, terrifiée, à l'abri de quelque chêne dont les feuilles avaient refusé de tomber — suivant des yeux son amie que le vent semblait lui arracher. À son retour, Mrs. Ross l'appelait du chemin, et Davenport sortait prudemment de son refuge pour s'entendre reprocher de n'avoir pas osé affronter la berge de la rivière en crue.

Parfois, lorsque Mrs. Ross avait bu, elle s'installait dans le fauteuil de Rowena, et Davenport la véhiculait jusqu'à Chestnut Park et retour, parce qu'il y avait beaucoup de rues à traverser et que les secousses qui en résultaient la maintenaient éveillée. Car elle redoutait le sommeil.

Les lettres de Robert étaient lues et relues — numérotées, répertoriées et mémorisées. Mrs. Ross lui écrivait chaque jour sur du papier bleu de longues lettres tortueuses aux lignes descendantes, souvent — et même le plus souvent — complètement illisibles. Parfois, on n'en pouvait déchiffrer qu'une seule phrase ou même un seul mot: «ton père», «toujours», «je suis allée à Cluny Drive», et «quand les rouges-gorges».

Le soir, durant le repas, Mr. Ross observait sa femme de l'autre côté de la table sans jamais lui demander ce qu'elle avait fait de sa journée. Quoiqu'elle lui manquât terriblement, il ne se plaignait pas. Dans sa tête, il faisait revivre le passé et la retrouvait telle qu'il l'avait vue à leur première rencontre. Il s'en souvenait parfaitement. Elle tournait sans fin autour du parc dans son rutilant phaéton noir, tiré par un cheval moucheté. Elle portait un chapeau de velours marron, avec des mètres et des mètres de tulle. Mr. Ross était allé se placer à côté de l'abreuvoir, en pensant qu'il faudrait bien qu'elle s'y arrêtât avant que l'après-midi ne s'achève. Il venait d'avoir dix-huit ans, tandis qu'elle en avait vingt-deux. Toutes ses sœurs étaient mariées, mais elle refusait les uns après les autres les partis que lui présentait son père. Elle voulait un mari doué de qualités très précises, et, jusqu'ici, elle n'avait encore rencontré personne qui les réunît. À mesure que les soupirants défilaient, elle se montrait plus exigeante. Puis son frère avait été tué, et son père était mort de chagrin. Du coup, elle avait eu plus d'indépendance qu'elle n'en souhaitait. Et c'est alors que Thomas Ross était apparu. Il était fabricant de voitures — brun, timide et beau. Elle avait réfléchi, pesé le pour et le contre. Si elle restait seule, l'usine risquait de péricliter. Mais le mariage aussi lui paraissait dangereux — et surtout le fait d'être aimée. Être aimée était difficile, presque intolérable. Être aimée signifiait laisser les autres se nourrir de sa propre substance, mettre en danger tout ce qu'on possède de vie — se donner, peut-être se dilapider. Cependant, le jeune Tom Ross sut se montrer persuasif, et d'une façon à laquelle elle ne put résister. Il ne la demanda pas. Il ne lui demanda rien. Il s'offrit à elle. Avec le temps, c'est un présent qu'elle apprendrait à apprécier.

Dans le parc, lors de leur première rencontre, elle refusa de s'arrêter. À mesure que la journée avançait, le soleil devenait plus chaud. Pourtant, Tom patienta — refusant même l'ombre des arbres. À chaque fois qu'elle passait, il soulevait son chapeau. Elle lui trouva les plus belles jambes et les plus beaux bras qu'elle eût jamais vus. Cependant, elle continua à tourner et à tourner autour du parc sans jamais paraître regarder dans sa direction. Il la trouva merveilleuse de cruauté — envers son cheval, dont elle ignorait la fatigue et la soif, comme envers lui, auquel elle déniait le plaisir de prononcer son nom. Maintenant, elle continuait dans sa tête sa ronde autour du parc, s'approchant de lui pour mieux s'en éloigner, lui refusant toujours l'occasion de prononcer son nom. Et son amour pour elle demeurait le même. Elle restait à ses yeux la fière jeune fille qu'il avait su gagner. Mais, désormais, il avait peur pour elle. De l'autre côté de la table, elle se cachait — derrière un écran de fumée, de fleurs et de lampes baissées. Il lui souriait, mais elle le regardait comme s'il n'existait pas. Il était devenu partie de son silence. Il n'était plus qu'une pièce qu'elle traversait sans s'arrêter dans son cheminement vers les ténèbres.

Mercredi 8 mars

Robert partait pour l'Angleterre, momentanément libéré de ses obligations. Il était assis dans le train, l'un des carnets de croquis de Rodwell ouvert sur les genoux. Il avait sous les yeux le crapaud — parfaitement réaliste, ainsi que Rodwell l'avait annoncé — dépourvu de toute coloration sentimentale. Un simple crapaud, à l'air morne et mal embouché. Robert sourit. Il se mit à feuilleter le cahier. Des oiseaux et des souris. Le hérisson et le lapin. Puis à nouveau le crapaud. Et tout à coup lui-même. « Robert » Étendu sur sa couchette à la lumière des bougies, il était endormi. Il avait les mains posées sur la poitrine et portait les gants de Harris. La ressemblance était parfaite. Irritante. Et, pourtant, il y avait quelque chose d'étrange dans la façon dont les ombres étaient travaillées — quelque chose dont l'effet le mettait mal à l'aise. Tout d'abord, il ne sut pas pourquoi ; et ce n'est que lorsqu'il eut feuilleté les autres carnets (en tout, il y en avait cinq) qu'il finit par comprendre. Tous les croquis représentaient des animaux. Sur une centaine de dessins, celui de Robert était le seul qui traitât un sujet humain. Mais avec de subtiles modifications, qui, sans le transformer vraiment, le mettait sur le même plan que les autres.

Rodwell y avait-il mis une intention particulière ? Ou n'était-ce dû qu'à sa façon de dessiner ?

Ce même jour à l'aube, Robert avait relâché le crapaud à l'abri d'une haie que le printemps ne tarderait pas à faire reverdir. Après quelques secondes d'hésitation, l'animal s'était mis en quête d'un endroit où il pût s'enfoncer dans la boue. Bientôt, on ne vit plus que ses yeux. Et la bosse de son dos tacheté. Rassuré sur son sort, Robert s'était baissé pour le toucher du bout des doigts ; et il lui avait souhaité « Bonne chance » avant de s'en aller.

QUATRE

Les détails concernant la suite des relations de Robert Ross et de Barbara d'Orsey furent recueillis lors d'une seconde rencontre avec Lady Juliet d'Orsey à Londres, 15, Wilton Place. L'entretien eut lieu un week-end de pluie, où l'odeur des jacinthes en pots se mêlait au parfum des freesias, toujours présents sur le manteau de la cheminée. L'enregistrement est coupé de coups de tonnerre. À l'arrière-plan, on peut en outre suivre le déroulement d'un mariage célébré à St. Paul, de l'autre côté de la rue, le samedi matin. Le dimanche, en raison de l'orage, il fallut garder les fenêtres fermées jusqu'au service du soir, dont les chants éclatèrent en même temps que le soleil envahissait la pièce. Au ministère de la Recherche scientifique, le personnel était parti pour la banlieue ou la campagne, laissant vides les étages inférieurs, dont le silence ne devait être troublé que par les pas solitaires du gardien et l'occasionnelle sonnerie de l'un ou l'autre téléphones.

La transcription de l'enregistrement ne peut, hélas, rendre la voix de Lady Juliet. Comme on l'a dit, elle a maintenant plus de soixante-dix ans et se nourrit essentiellement de gin et de cigarettes. Parfois, sa voix se transforme en ce qu'on ne peut décrire que comme un *chant*, et elle fait alors vibrer les pendeloques du lustre de cristal. Après quoi elle hésite et se brise pour ne plus être qu'un murmure. Lorsque Lady Juliet lit des extraits du journal qu'elle tenait quand elle avait douze ans, la façon dont elle s'exprime a sur l'auditeur un effet à la fois magique et désolant — si l'on pense à son âge, c'est-à-dire à la vieillesse et à la mort —, cependant que ses propos restent ceux d'un enfant. Lady Juliet elle-même n'a pas conscience de cette contradiction. On s'en rend compte à l'intensité avec laquelle elle lit. Pour elle, sa voix n'est que la voix de son esprit — en parfait accord avec sa pensée d'alors. Tandis qu'elle tourne les pages, son visage ne trahit pas la moindre surprise : elle connaît l'histoire et n'éprouve rien à la relire que la satisfaction de la retrouver telle qu'elle s'en souvenait. Il peut être intéressant de noter que sa lecture est très rapide et que, lorsqu'elle s'interrompt pour faire une remarque (ses commentaires sont transcrits en italique), elle ne manque jamais d'en profiter pour boire quelques gorgées de gin. À un certain moment, avec l'accent d'une actrice née pour jouer Eliza Doolittle, elle leva sa tasse et dit avec un grand sourire : *« Elle considérait le gin comme du lait maternel. »*

Stourbridge — St. Aubyn, où se déroulent les événements que rapporte le journal de Lady Juliet — est un village situé sur le Stour, à environ dix-sept milles de Cambridge. Le Stour prend sa source dans le comté de Cambridge et se jette dans la mer du Nord à Harwich. Sur l'essentiel de son cours, il fait frontière entre l'Essex et le Suffolk. La contrée est l'une des plus belles du monde — plate, faite de grasses et vertes prairies coupées de sinueuses rivières, de haies, de flèches et de forêts de chênes — de tout ce qu'évoque le nom de l'Angleterre. Nulle part, le printemps n'a d'égal à celui de cette région. Les champs s'emplissent de vaches noires et blanches, les berges des cours d'eau se couvrent de fleurs jaunes, le ciel s'anime du vol joyeux des alouettes et la pluie, lorsqu'elle tombe, est tiède et caressante. Par Camden Lights et Grantchester, des routes vous emmènent de village en village — parmi les troupeaux d'oies et les bandes d'enfants — longent des canaux et franchissent des ponts, contournent des étangs où l'on se baigne nu, et vous déposent enfin dans la cour d'une auberge où l'odeur de la bière et du cidre vous enivre avant même que vous ne soyez entrés. C'est un monde ancien, confortable et sûr, mûri par des siècles sans hâte.

St. Aubyn même est une abbaye, siège de la famille d'Orsey depuis l'année 1070, où Guillaume le Conquérant la confia au fondateur de la lignée. Depuis longtemps, l'abbaye est en ruine ; mais la maison — commencée au temps de Jacques Ier — a été agrandie et consolidée par toutes les générations qui, depuis, s'y sont succédé. Entourée de pelouses, elle se dresse au milieu d'un parc où, lorsque Lady Juliet était enfant, les cerfs de la forêt voisine venaient à l'aube brouter les lis plantés en souvenir des origines françaises des d'Orsey, autrefois bourgeois de Rouen.

À l'époque où Robert Ross fit la connaissance de la famille, les cinq membres que comptait sa génération étaient tous vivants. Leur père, le marquis de St-Aubyn, vivait à Londres, dans la résidence de Wilton Place. Il détestait la campagne. Il détestait ses enfants. Il détestait probablement sa femme. C'est à peine si Lady Juliet se souvenait de lui. En revanche, elle se rappelait fort bien ses funérailles, car, étant alors le seul de ses enfants à avoir survécu, c'est elle qui dut les organiser. Selon ses propres termes : « J'en ai profité, je l'avoue, pour m'offrir la plus belle messe que vous puissiez imaginer. Tout ce dont il aurait eu horreur. Mais, pour moi, *ordonner* une messe était une occasion unique — une occasion que je savais ne jamais devoir se reproduire, sauf pour moi, mais alors, je ne serai plus en mesure d'en jouir, du moins je ne le crois pas. Il fallait donc que j'en profite — et c'est ce que j'ai fait. Tout, il y avait tout : Monteverdi, Bach, Mozart. C'était glorieux. D'un seul coup, je me repayais de tout l'enfer qu'il m'avait fait vivre. J'entends, l'enfer de son absence. » Il est mort en 1952, alors que Lady Juliet avait quarante-huit ans. Il y avait si longtemps qu'elle ne l'avait pas vu qu'elle ne reconnut pas le corps.

La mère, Lady Emmeline, déclarait volontiers qu'elle aurait bien aimé être fille de laiterie. Sa conception de la « fille de laiterie » n'avait probablement pas grand-chose à voir avec la réalité ; mais sans doute voulait-elle dire par là qu'elle aurait souhaité vivre une vie plus simple que celle qu'elle menait. Elle était à la fois bonne épouse et bonne mère — et, dans ce dernier rôle, parfaitement heureuse. Ses enfants, son jardin et sa foi en Dieu étaient pour elle tout ce qui comptait. Cependant, quoique la ville lui déplût souverainement, elle faisait de son mieux pour offrir à son mari et à sa progéniture une vie citadine qui leur gardât ouverts tous les contacts sociaux. Car elle estimait que la vie sociale des filles est celle que leur mère leur procure, et que les fils ne peuvent se marier là où leur mère est trop souvent absente. Quant au marquis, elle savait qu'il ne pouvait être heureux avec sa maîtresse si elle-même n'était pas là pour le pousser dans ses bras. Sa présence à ses côtés lui donnait toute la considération nécessaire auprès de ses pairs et le tenait à l'écart de sa chambre à coucher. La dernière fois que, contrariée par sa conduite, elle avait quitté Londres au beau milieu de la saison, il avait été à ce point déçu par sa maîtresse qu'il était allé la rejoindre à St. Aubyn et avait repris le chemin du lit conjugal. C'est ainsi qu'avait été conçue Temple ; et, comme cette naissance tardive avait failli lui coûter la vie, Lady Emmeline avait décidé que la chose ne se reproduirait plus.

Maintenant que la guerre était là, Lady Emmeline avait toutefois de bonnes excuses pour rester à la campagne sans avoir mauvaise conscience. Surtout depuis qu'avaient commencé les raids des zeppelins. Il fallait garder Juliet et Temple loin de Londres. Clive, qui avait déjà été en France, et Michael, qui était sur le point de recevoir son brevet d'officier, avaient besoin d'un port où se remettre des horreurs de l'armée (selon sa propre expression), tout comme Barbara avait besoin de la campagne comme antidote aux excès de la vie toujours plus trépidante qu'elle menait en ville. Cependant, St. Aubyn ne tarda pas à devenir beaucoup plus qu'un havre pour ses fils et une ancre pour sa fille. Une fois que les « horreurs de l'armée » se furent concrétisées, un flot d'amis, invités par Clive et Barbara à venir prendre chez eux le repos dont ils avaient besoin, transforma bientôt l'endroit en hôtel ; et finalement, au prix d'une vie privée à laquelle elle avait jusque-là attaché la plus grande importance, la marquise elle-même décida que sa maison ne pouvait rester plus longtemps un asile réservé à une poignée d'élus. En conséquence de quoi elle se rendit à Londres pour convaincre son mari d'entreprendre les démarches nécessaires pour que St. Aubyn fût déclaré hôpital de convalescence. Quatre médecins, dix infirmières et plusieurs aides y furent installés. On alla quêter auprès d'amis l'argent nécessaire à l'achat d'ambulances, de médicaments et de matériel sanitaire. Enfin, on créa un fonds. En plein âge mûr, Lady Emmeline avait découvert sa vocation. Elle n'était pas née seulement pour être « mère » et « épouse », mais pour diriger une maison d'enfants difficiles. En mars 1916, St. Aubyn s'était acquis une telle réputation que la reine Alexandra offrit son patronage. Le marquis lui-même en fut impressionné. Il était tombé sous le charme de sa beauté alors qu'elle n'était encore que princesse de Galles, et bien qu'elle ne fût plus désormais qu'une vieille femme, l'honneur qu'elle faisait à son nom le toucha suffisamment pour le ramener chez lui, où on le vit faire le tour des salles au côté de sa femme. C'est à peu près à cette époque que Robert rentra de la bataille de Saint-Éloi et accepta l'invitation qu'il avait reçue de se rendre à St. Aubyn. Elle lui avait été adressée au nom de Taffler — mais elle portait une signature contrefaite.

Transcription : Lady Juliet d'Orsey — 2

« Je dois admettre que, toute ma vie, la curiosité a été ma passion. Il n'y a pas de questions que je n'aie posées — et rarement de réponses que je n'aie reçues. Je ne sais pas pourquoi. Quand j'y pense — c'est sûr, j'ai posé des questions d'une indiscrétion incroyable, mais on me répondait. Sans doute parce que je n'y mettais aucune duplicité ni aucune malice. Je n'étais pas particulièrement culottée, pourtant. Je n'étais pas timide, c'est sûr. Et

j'étais précoce — mais je ne m'en rendais pas compte. Je ne peux pas me rappeler une seule occasion où l'on m'ait traitée vraiment comme une enfant. On me traitait plutôt comme une naine! Je ne jouais jamais avec d'autres gosses. Le seul enfant avec lequel j'aie jamais eu affaire, c'était Temple, ma sœur. Elle avait cinq ans. Mon cœur l'adorait — mais je dois dire aussi qu'elle était étrange. Je la respectais, mais par crainte. Elle ne s'est mise à parler qu'à trois ans et demi. Jusque-là, pas un mot, pas un seul — et puis, tout à coup, un après-midi, au thé, dans la nursery, elle a déclaré: "Je voudrais encore un œuf." Wilson, notre bonne, ne s'est pas démontée; c'est à peine si elle a pâli avant de rétorquer: "Vous n'avez pas dit s'il vous plaît. — S'il vous plaît", a répété Temple — c'est tout. Et elle a eu son œuf. À notre façon, nous sortions tous de l'ordinaire. Je pense que nous avions atteint une sorte d'apogée génétique. Clive était un génie. Temple aussi. Michael et Barbara étaient tous les deux d'une beauté tout à fait exceptionnelle. Quant à moi, en toute modestie, j'étais la naine malapprise qui notait tout dans son journal. À la fin de chaque jour, je racontais ce qui s'était passé: les intrigues, les conversations, les questions que j'avais posées, les réponses qu'on m'avait données, tout ce que j'avais vu ou entendu. Les aventures de mes frères et sœurs, de leurs amis, des amis de mes parents, étaient pour moi une source intarissable de plaisir. La folie et l'angoisse du monde des adultes constituaient ma nourriture — et jamais il ne m'est venu à l'esprit que ça pouvait ne pas être mon affaire. Jamais je ne participais, comprenez-vous? J'étais née pour observer. Un Boswell en rubans. Mon journal devrait vous apprendre tout ce que vous désirez savoir. Mais, attention, j'étais tout yeux et tout oreilles — c'est tout. Les conclusions, ce sera à vous de les tirer. Ce journal commence en mars et se termine en mai. Par deux fois, le congé de Robert a été prolongé à cause de ses genoux. Durant cette période, il s'est rendu à Londres pour consulter un médecin. Il a même subi une petite opération, de correction, je crois — le genre d'intervention que le médecin pratique dans son cabinet. Il séjournait donc chez nous à la fois en tant qu'ami et en tant que malade. Comme ami, il avait droit à une chambre pour lui tout seul. Voilà. Je crois que je vous ai dit l'essentiel. Maintenant, il ne me reste plus qu'à lire. Mais je ne lirai pas tout. Les dates sont sans importance. Vous savez à quel moment tout cela s'est passé. »

Nous avons maintenant quatorze hommes. Sept d'entre eux ont besoin de soins permanents. Parmi les autres, cinq sont sur pied et peuvent se promener dans le parc. Il pleut beaucoup, mais les narcisses commencent à fleurir, et lorsqu'on regarde du côté du lac, on les voit courber la tête dans le vent. Tout à l'heure, j'en ai compté plus de cent avant de m'embrouiller. Il y a une infirmière que je n'aime pas — une certaine Babington. Elle ne sourit jamais, et elle m'appelle Lady *Julie.* Qu'est-ce qu'elle ferait, si je l'appelais « Babine » ? Je suis sûre qu'elle comprendrait. Mais je ne m'abaisserai pas jusque-là. La prochaine fois qu'elle m'appellera Lady Julie, je détournerai simplement la tête. Robert Ross, un Canadien, est arrivé de Londres aujourd'hui. Barbara était censée être là pour l'accueillir, mais elle n'y était pas. Elle se baladait Dieu sait où. Maman était dans son bureau. Elle l'a reçu en *jumper.* Parfois, elle est tellement bizarre. Elle ne se souvenait pas pourquoi il était là. Elle lui a dit: «Je vais appeler une infirmière pour vous conduire à votre chambre», comme s'il s'agissait d'un malade. Il a dû la prendre pour une folle, c'est sûr. Comme je traînais par là, j'ai dit que j'allais m'occuper de lui. J'étais ravie. Maman a promis qu'elle irait le voir plus tard, lorsqu'il serait en pyjama! Elle qui est tellement à cheval sur l'étiquette! Lui, il a été parfait. Il n'a même pas souri. Je lui ai expliqué qu'elle avait beaucoup de travail. Je lui ai dit: «Au thé, elle sera mortifiée et elle vous présentera toutes les excuses du monde. Ne vous inquiétez pas, elle est comme ça. Vous vous y ferez. Je m'y suis bien faite, moi.» Je l'ai tout de suite trouvé merveilleux. Il a une mâchoire tout à fait carrée, et des cheveux superbes, mais qui ne doivent pas être faciles à peigner. Il boite, et il m'a expliqué que c'était à cause de ses genoux. Dans la galerie, il m'a dit qu'il pensait que Barbara était avec le capitaine Taffler. J'ai répondu que non, je ne croyais pas. J'étais très embarrassée, car il n'avait pas l'air de savoir au sujet du capitaine. J'ai décidé qu'il apprendrait bien assez tôt. Sa chambre est celle du fantôme de Lady Sorrel. Je lui ai expliqué qu'elle passait d'ordinaire à deux heures du matin, mais que ça ne valait pas la peine de rester réveillé pour la voir. Elle n'est pas tellement intéressante. Je lui ai dit aussi que, si elle allumait les bougies, il fallait simplement qu'il attende qu'elle soit partie pour les éteindre — à moins qu'il n'ait pas peur des courants d'air, auquel cas il pouvait laisser les fenêtres ouvertes et le vent se chargerait de les souffler. Je lui ai dit que personne ne s'habillait pour le dîner. On ne peut pas attendre des officiers qui sont ici qu'ils aient un habit du soir dans leurs petits bagages. Je me suis assise sur le lit, et je l'ai regardé déballer ses affaires. Il avait une sacoche pleine de livres. Je lui ai demandé ce que c'était. Il me les a montrés. C'étaient des carnets remplis de croquis de crapauds et toutes sortes de choses. Je lui ai dit que c'était drôlement bien. Il m'a remerciée, mais il m'a expliqué que ce n'était pas de lui. C'est un ami de France qui les a faits. Il les a ouverts et les a mis sur la cheminée. En plus des crapauds, il y a un lapin et une souris. Son ami est mort. Je n'ai pas posé de questions. Ensuite, il a voulu savoir où se trouvait ma chambre. Je lui ai expliqué. Je lui ai dit : « À côté de la nursery, pour que Wilson puisse me surveiller. Mais, en général, elle me fiche la paix ; elle n'en a que pour Temple. » Et je lui ai raconté qui était Temple. Il m'a dit que c'était bien d'avoir une petite sœur, que, lui, il avait un frère cadet, une sœur aînée et une sœur qui est morte. Il m'a raconté que son frère avait environ mon âge. J'ai simplement fait ah ! Je ne lui ai pas dit que je le plaignais. Parce que, c'est vrai, je n'ai pas encore rencontré de garçon de douze ans qui ne soit pas insupportable. C'est le pire âge, pour eux. Tout ce qu'ils savent faire, c'est péter et ricaner. Ils se croient malins alors qu'ils sont complètement idiots. Quand je pense qu'un jour Michael et Clive ont forcément eu cet âge-là, j'ai du mal à y croire. Quelle horreur ! Heureusement que je suis trop petite pour les avoir connus à cette époque-là. À part ça, ce qui intéressait le plus Robert Ross, c'était Barbara et le capitaine Taffler. J'ai donc fini par me décider à prendre le taureau par les cornes. Je lui ai dit que le capitaine était en bas, et que, s'il voulait, on pouvait aller le visiter. Le mot *visiter* l'a fait sursauter. C'est exprès que je l'avais utilisé, pour le préparer un peu à ce qui l'attendait. Il a ôté la veste de son uniforme, et il m'a montré un vieux cardigan de laine en me demandant s'il pouvait le mettre. Je lui ai dit que oui, bien sûr. S'il avait mieux regardé maman, il n'aurait pas eu besoin de me poser la question. Ensuite, nous sommes sortis et nous sommes allés voir Temple. Wilson s'occupait du feu. Depuis qu'il n'y a plus assez de charbon, on est forcé de brûler n'importe quoi, et la nursery était pleine de fumée. Dehors, la lumière était si brillante, qu'au début on ne distinguait pas le visage de Temple. Elle était comme un ange dans un halo de brume. Ils se sont simplement regardés. Ça m'a fait tout drôle. Et puis nous sommes partis. Nous avons repris la galerie pour nous rendre dans l'aile opposée. Comme nous descendions l'escalier, nous avons tout à coup entendu rire dans le hall d'entrée. Nous nous sommes arrêtés. C'était Barbara. Et le major Terry. Ils rentraient de Cambridge, et ils avaient les bras pleins de paquets. Ça me paraît bizarre de voir ma sœur et ma mère porter quelque chose. Je ne m'y habituerai jamais. Il me semble que, hier encore, il y avait toujours quelqu'un derrière elles pour porter leurs affaires et les débarrasser de leur manteau. Que ça ait changé ne me dérange pas, bien sûr; mais je trouve qu'avec des paquets, Barbara n'est pas à son avantage, c'est tout. Donc, ils riaient. Ils ne nous avaient pas vus. J'ai attendu pour voir si Robert Ross se déciderait à aller vers elle. Mais il n'a pas bougé. Dans sa tête, ça faisait du chemin. Moi, je me sentais plutôt mal à l'aise. Je voyais bien qu'il s'inquiétait, qu'il se demandait quel était le rôle du major Terry, et dans quel état il allait trouver le capitaine Taffler. Enfin, ma sœur et le major ont disparu et nous sommes descendus faire notre visite. Pauvre Robert Ross. Je n'ai pas été gentille avec lui. La première fois qu'il m'a parlé du capitaine, j'aurais dû lui dire. Il a eu un choc terrible.

Pour comprendre, il me suffit d'imaginer quel effet ça me ferait si quelqu'un comme Michael avait perdu les deux bras et que je le trouve comme ça, sans que personne ne m'ait avertie. Heureusement, le capitaine Taffler a été très bien. Il m'a fait un clin d'œil, et il m'a demandé de rester derrière la porte pour empêcher le «Babouin» d'entrer. D'abord, je n'ai pas compris. Et puis j'ai vu Babington, et je me suis souvenue que le capitaine ne l'aimait pas non plus. Le «Babouin», c'était elle. J'ai décidé que, moi aussi, je l'appellerais comme ça. C'est beaucoup plus drôle que *Babine.*

Le dîner a été un *désastre.* Maman n'a pas arrêté de parler. Nous étions six. On m'a permis de rester pour qu'il y ait le même nombre de dames. Il a fallu que je mette la robe que je déteste le plus; celle dont les fronces m'écrasent la poitrine, dont maman ne veut pas croire qu'elle pousse. L'autre jour, comme Wilson me massait avec cette huile affreuse qui, selon elle, doit me faire des seins *en pointe,* maman est entrée et s'est mise à crier: «Mais qu'est-ce que vous faites, Wilson?» Et lorsque Wilson lui a expliqué, elle a crié deux fois plus fort et elle a montré ma poitrine en disant: «Vous ne comprenez donc pas qu'elle ne peut pas en avoir. Elle n'a que douze ans!» Ensuite, dans le hall, je l'ai entendue raconter l'histoire à Barbara et au Dr Withrow. Maintenant, je me sens comme un monstre. Et on me fait sans arrêt manger des épinards sans même me dire pourquoi. Enfin, revenons-en au dîner de ce soir. Il y avait donc maman, Barbara, moi, Michael, le major Terry et Robert Ross. Maman a fixé pour règle qu'on ne posait pas de questions aux hommes qui revenaient du front, et que Michael ne devait pas «divaguer» à propos de la guerre ainsi qu'il le fait à chaque fois qu'il en a l'occasion. C'était ridicule. Nous étions tous là, autour de la table (j'ai l'impression que Robert Ross n'était pas encore tout à fait remis du choc), à parler de cidre et de vin. Du vin, j'en ai même eu un verre. Maman doit s'imaginer que ça me fait dormir. Il n'y avait qu'à voir le résultat : je ne suis pas encore couchée et minuit a déjà sonné ! De tout le repas, Barbara n'a pas quitté Robert Ross des yeux. Les jours du major Terry sont comptés ! Demain, Clive arrive avec des amis.

La nuit dernière, très tard, j'ai entendu quelqu'un marcher. J'ai pensé que c'était Lady Sorrel, et je me suis levée pour voir. Je me disais que, si je la suivais dans la chambre de Robert Ross, je pourrais souffler les chandelles et m'excuser de ce que j'avais fait. Je continue à me sentir coupable de ne pas l'avoir averti de l'état du capitaine Taffler. Je me demande parfois s'il n'y a pas en moi quelque chose de méchant qui me pousse à faire des choses comme ça. À trois reprises, j'aurais pu lui expliquer que le capitaine Taffler n'avait plus de bras, et les trois fois, je ne lui ai rien dit. Il faudra que je raconte à Clive. Lui, il me pardonnera. Si nous étions catholiques, je pourrais aller trouver un prêtre ; peut-être aussi qu'il me pardonnerait. En tout cas, ce serait plus facile que d'aller m'excuser auprès du lieutenant Ross. Je me suis donc levée ; mais il ne devait pas encore être deux heures, car ce n'était pas Lady Sorrel. C'était Barbara. Elle sortait de chez le major Terry, et je l'ai entendue dire : « Faire l'âne pour avoir du son, avec moi, ça ne marche pas. Bonne nuit, Ralph. » Après quoi elle a passé devant ma chambre ; mais elle ne m'a pas vue, car ma porte était à peine entrebâillée. Elle a continué le long du couloir, et elle s'est arrêtée devant la chambre de Robert Ross. Je n'en revenais pas. Il n'était là que depuis quelques heures, et c'est à peine s'ils s'étaient parlé. Elle a hésité. À un certain moment, elle a presque mis la main sur la poignée. Puis elle s'est ravisée. Elle a regardé droit dans ma direction, mais de nouveau sans me voir. Enfin, elle a fait demi-tour, et elle a pris la direction de l'escalier. C'était trop intrigant ; il fallait que je la suive. Je suis donc descendue derrière elle. Mais un peu tard. Arrivée en bas, j'ai tout juste entendu une porte se refermer. Mais je suis presque certaine que c'était celle du capitaine Taffler. En tout cas, dans sa chambre, il y avait de la lumière. Malheureusement, je n'ai rien pu entendre. J'ai attendu longtemps, et puis Babington est arrivée, et il a fallu que je me cache. Après ça, j'avais trop peur. Je me suis dépêchée de revenir ici. Ce matin, j'ai de nouveau fait quelque chose de mal sans pouvoir m'en empêcher. Je fouillais dans la caisse à jouets pour y chercher les dominos lorsque je suis tombée sur un ancien jeu : « Accrochez la queue de l'âne. » Honnêtement, je n'ai pas pu me retenir. Je l'ai pris et je suis allée le glisser sous la porte du major Terry.

C'est vrai, dit alors Lady Juliet, *j'étais une enfant abominable. Pauvre garçon ! Au petit déjeuner, il était comme un linge. C'est à peine s'il a dit un mot de toute la journée. Pourtant, à la longue, ce que j'ai fait ce jour-là a dû rendre les choses plus faciles pour Robert et pour Barbara. Le major Terry a conclu un peu hâtivement que c'était Barbara qui avait mis l'âne sous sa porte, et il s'est tout de suite considéré comme congédié. Il n'a certainement jamais parlé de rien à Barbara, sinon elle m'aurait demandé des explications. À part moi, il n'y avait que*

Temple et Wilson qui avaient accès à la caisse à jouets, et ni l'une ni l'autre ne pouvaient être coupables. Quoi qu'il en soit, à la fin du week-end, il n'y avait plus de major Terry.

Clive est arrivé avec un tas de gens. Tous ses amis pacifistes. Je crois qu'ils essaient de le persuader de ne pas repartir. Mais il repartira. Du moins, c'est ce qu'il dit. Michael les déteste et les méprise. Il prétend qu'ils ruinent la guerre et que c'est mauvais pour tout le monde de les avoir ici. Cet après-midi, Clive et lui se sont attrapés. Ici, dans la nursery. C'était le seul endroit où les amis de Clive ne risquaient pas de les entendre. Ils se sont disputés à propos de Mrs. Lawrence. Mrs. Lawrence est une dame allemande (énorme!), dont Michael dit qu'ils veulent la mettre en prison parce que, pendant la nuit, elle et son mari adressent des signaux aux zeppelins depuis leur jardin. Selon Clive, ce ne sont que des calomnies. Mais pour Michael, même si ce n'est pas vrai, son frère, le baron von Richtofen, a tué des tas de braves pilotes anglais, et il n'est pas concevable d'avoir une femme pareille dans cette maison en même temps que des hommes comme Taffler, qui n'ont plus de bras. Sur quoi Clive a déclaré que, si Michael voyait les choses comme ça, il ne comprenait vraiment pas à quoi rimait la guerre. Et ils ont continué sur ce ton pendant *des heures,* jusqu'à ce que Wilson leur dise que, s'ils n'arrêtaient pas, elle allait les mettre à la porte de la nursery. Selon elle, tout ce tapage était très mauvais pour « mademoiselle », c'est-à-dire pour Temple. Mais, en réalité, Temple était ravie. Elle paraissait même ne jamais s'être autant amusée de sa vie.

Après, pendant le thé, Michael a fait tout le vacarme qu'il pouvait avec ses bottes de cheval. Chaque fois qu'un pacifiste essayait de prendre la parole, il traversait le salon dans la direction opposée pour demander aux autres s'ils voulaient des sandwichs ou du cake. Et cela, d'une voix tonitruante. Assise là au milieu, maman s'efforçait de convaincre le major Terry qu'il n'y avait « absolument aucune raison » qu'il s'en aille aussi brusquement. J'avais du mal à me retenir de rire. C'est alors que je me suis demandé pourquoi Clive portait son uniforme devant ses amis pacifistes. Je ne comprends pas. Je trouve qu'il ferait mieux de se mettre en costume. Ensuite, tous les pacifistes sont sortis pour aller s'installer dans le bas du jardin. De la maison, on pouvait les voir assis en rond les uns tout près des autres, à discuter très sérieusement tout en fumant des cigarettes. De temps en temps, Mrs. Woolf rejetait la tête en arrière et se mettait à rire. Mrs. Woolf est mon idole. Elle porte des habits et des chapeaux tellement fantastiques. Et j'adore la façon dont elle s'assied avec les genoux relevés presque jusque sous le menton. Là, sur la pelouse, elle a fumé au moins une douzaine de cigarettes ! Nous étions sur la terrasse, et ils se tenaient au bout du jardin. Avec Clive, ils devaient être huit ou neuf. Tout à coup, Michael a dit à maman : « Ils ont toute la place possible, et c'est tout juste s'ils ne se mettent pas les uns sur les autres. Je ne comprends pas pourquoi. » Ce à quoi maman a répondu : « Sans doute parce que ce sont des littéraires, mon fils. »

Robert Ross est arrivé très tard, de sorte qu'il a manqué tout ça. Il est rentré par la terrasse, et maman lui a demandé : « Où donc étiez-vous, Mr. Ross ? Vous avez l'air épuisé. » Robert a expliqué qu'il était allé se promener et qu'il avait vu trois renards. Il paraissait très excité. « Je vous en prie, lui a dit maman, ne parlez pas de ça à Michael, sinon il va faire lever toute la maisonnée à cinq heures, et il nous faudra subir ces abominables sonneries de cor — sans compter les aboiements des chiens. » Un moment, j'ai songé à écrire un billet et à le mettre sous l'assiette de Michael ; puis j'ai pensé à tous ces pauvres soldats, et je me suis dit que c'était méchant, que, pour une fois, je ferais bien de me retenir.

Cet après-midi, j'ai cueilli des narcisses pour les apporter au capitaine Taffler. C'était après le thé, environ une heure avant le moment de rentrer s'habiller pour le dîner. Dans le couloir, la lumière était dorée — en partie à cause du soleil couchant, mais aussi à cause de la couleur des vitres. Pour la première fois de l'année, les pierres étaient tièdes. J'avais des chaussures de toile et je ne faisais pas le moindre bruit. Je me sentais comme Lady Sorrel. Pas seulement parce que j'avais l'impression de flotter, mais parce que j'avais mis ma jupe bleu ciel et ma blouse marine, et que tout était bleu, or et jaune. C'est comme ça qu'on la voit, la nuit, sauf qu'elle porte des bougies, alors que moi je portais des fleurs...

Laissez-moi vous expliquer ici que Lady Sorrel d'Orsey était la fille du marquis à l'époque de Charles Ier. Son amant, le comte de Bath, après avoir été cruellement blessé durant la guerre civile, fut caché dans la chambre de St. Aubyn que je vous ai décrite, et où couchait Robert. À en croire son portrait, Lady Sorrel était d'une rare beauté. Elle porte une robe indigo. La lumière dorée vient de ses cheveux et du jaune des bougies que l'on a peintes à une époque plus tardive en accord avec la légende. Le tableau a subi quelque dommage durant la dernière guerre. Mais il existe toujours; tout le monde peut le voir. Finalement, le comte de Bath mourut de ses blessures. Mais, selon tous les témoignages, sa mort se fit attendre longtemps. Bien entendu, nous étions royalistes, et les terres entourant St. Aubyn se trouvaient aux mains des Têtes rondes, de sorte que, durant toute son agonie, il dut rester caché — d'autant plus qu'il s'était fait de Cromwell un ennemi personnel. L'histoire des bougies vient des longues nuits que Lady Sorrel passa à le soigner. Selon la légende, elle continua d'allumer les chandelles pour veiller dans sa chambre même après qu'il fut mort. Lorsque, à soixante-cinq ans, elle mourut à son tour, on la trouva assise au chevet du lit de son amant, au milieu des bougies qui éclairaient la pièce, et qui, depuis, sont censées n'avoir jamais arrêté de brûler!

...Cela sentait l'acide prussique et je ne sais plus quel autre produit qu'on utilise pour les pansements — quelque chose qu'on fait avec des herbes. Dans l'une des chambres, on entendait la voix d'une infirmière — Babington, Colt ou une autre — en train de parler avec un homme. Je descendais l'escalier. J'étais sur la troisième marche. Je devais déjà m'être arrêtée, car la scène qui suit, je la vois comme une photographie dans laquelle je figurerais, moi aussi. Robert Ross est sorti de la chambre du capitaine Taffler, et la porte, en s'ouvrant, a fait un petit bruit sec. Je dois avoir eu peur; en tout cas, j'ai pris une brusque aspiration, et l'odeur des narcisses m'a presque fait tourner la tête. Là-dessus, Barbara est sortie à son tour de la chambre du capitaine Taffler. Ni l'un ni l'autre ne m'ont vue. Ils sont restés là.

La porte n'était pas tout à fait fermée. Ils ne parlaient pas. Ils paraissaient tendus. Enfin, Barbara a pris la main de Robert et elle s'est appuyée contre lui. D'abord, il semblait ne pas savoir que faire ; et puis il s'est décidé à la prendre dans ses bras, et il l'a tenue ainsi un bon moment, le menton posé sur sa tête. Lorsqu'ils se sont séparés, Barbara lui a passé la main sur le visage. Après quoi, il est parti. Elle avait toujours la main en l'air. Dès qu'il a disparu, elle l'a mise sur la bouche, et elle a fermé les yeux. Avec sa fossette, elle avait l'air de sourire. J'étais sûre que, d'une seconde à l'autre, elle allait me regarder. Mais non. Quand elle a rouvert les yeux, elle s'est tout de suite tournée vers la porte du capitaine Taffler et elle l'a refermée. Et puis elle est partie. Ce qui s'était passé entre eux, c'était un peu comme une danse entre deux oiseaux. Barbara ne pleure jamais.

Je me suis assise sur les marches. J'étais fatiguée d'avoir essayé de retenir mon souffle si longtemps. Je ne savais plus ce que je devais faire. J'avais toujours envie d'aller porter mes fleurs au capitaine Taffler, mais il me semblait que ce n'était pas le moment. J'ai donc attendu. Presque une demi-heure. Après quoi, je suis allée frapper à sa porte. Pas de réponse. J'ai frappé une seconde fois, et je suis entrée. Je n'aurais pas dû, et pourtant j'en suis heureuse. On peut dire que je lui ai sauvé la vie. Mais ça, je ne crois pas qu'on me le pardonnera. Le capitaine Taffler ne voulait plus vivre, et je l'ai empêché de mourir. Tout ce que je fais finit par être méchant, d'une façon ou d'une autre... Pourquoi ? Il était agenouillé par terre, au milieu de ses pansements défaits, le front sur le carreau. Il tenait entre ses dents l'extrémité d'une bande. À hauteur d'épaule, l'une des parois était toute maculée de rouge ; il avait dû s'y frotter pour faire saigner ses plaies. Ses moignons étaient à chair vive. De l'un d'eux, du sang jaillissait par à-coups. J'ai laissé tomber mes fleurs. Et j'ai dû appeler, car Babington est bientôt arrivée en courant. Après, je ne sais plus très bien ce qui s'est passé. Tout à coup, maman était là, avec Clive et deux médecins. On m'a transportée dans la nursery, où l'on m'a donné un calmant. Je me suis endormie. Quand j'ai rouvert les yeux, Temple me regardait. Et puis maman m'a dit : « Si tu veux, Michael va te porter jusque dans ta chambre. » Mais j'ai refusé. J'ai demandé où était Barbara. Et Robert Ross. Je ne sais pas pourquoi. Michael m'a répondu qu'ils se promenaient dans le parc. J'ai dit : « Dans le parc ? Ils ne peuvent pas se promener dans le parc, il fait nuit. » Mais Clive m'a expliqué que c'était le matin. Quelqu'un a tiré les rideaux, et un flot de lumière est entré dans la pièce. Le capitaine Taffler a été opéré. Il est sauvé. Mais on ne me permet plus d'aller dans les salles. Il a donc fallu que je demande à Robert Ross de lui apporter des fleurs de ma part. Ce soir, j'ai prié sans arrêt. Je veux devenir religieuse.

Ensuite, les choses sont allées très vite entre ma sœur et Robert. Jétais choquée, bien sûr. Et même atterrée. Cela me paraissait inhumain. Plus jamais Barbara n'est allée voir Taffler. Robert, oui, Dieu merci. C'est alors que j'ai appris l'histoire de sa rencontre avec Taffler, dans la prairie, et l'histoire de Harris, sa mort et l'épisode de Greenwich. Et c'est à ce moment-là que je suis tombée amoureuse de Robert, moi aussi. Je n'avais que douze ans, mais je crois pourtant qu'on peut parler d'amour. En tout cas, cela me faisait très mal de le voir si souvent en compagnie de Barbara. Avec lui, elle était aussi possessive qu'elle l'était toujours avec les gens auxquels elle s'intéressait. Et je crois qu'il le supportait assez mal. C'était un garçon singulier, et plutôt solitaire. Il avait un caractère terrible, vous savez. Un jour, alors qu'il se croyait seul, je l'ai vu tirer sur un jeune arbre à coups de pistolet. Mais tirer comme un fou, jusqu'à ce qu'il ne reste rien de sa cible. Il lui arrivait aussi de jeter des objets par terre et de les piétiner, comme je l'ai vu faire avec sa montre, je ne sais trop pourquoi. Ce qui est certain, c'est qu'il y avait en lui un potentiel considérable de violence. Parfois, cette violence s'exprimait par des gestes, et, parfois, elle se traduisait dans son expression — ainsi, quand on le trouvait seul, assis sur la terrasse, ou regardant par une fenêtre. Mais ne croyez pas qu'il était en perpétuel état de fureur. Écoutez plutôt: Aujourd'hui, Robert est allé courir. Je l'ai observé, et Barbara aussi. Il courait dans le paddock. Nous y étions allés avec Clive et Honor pour voir le nouveau poulain. Robert courait avec les chevaux. Michael lui avait prêté un vieux short, et c'est tout ce qu'il avait mis. Il était pieds nus. Les chevaux semblaient aimer la course. Ils gagnaient, bien sûr, mais Robert ne s'en souciait pas. Il souriait. Il était content. *Cela se passait entre les voyages qu'il faisait à Londres pour consulter le spécialiste, et je crois qu'en réalité il essayait de voir dans quel état se trouvaient ses jambes. Ça ne devait pas être brillant. En effet, plus loin, j'ai écrit:* Aujourd'hui, Robert est parti à Londres voir le Dr Giles. Lorsqu'il reviendra, il sera en convalescence pendant deux semaines. *C'est cette fois-là qu'on l'a opéré. Dans l'intervalle, Michael était allé près de Liverpool rejoindre son camp d'entraînement. Maman n'était pas très bien. Elle avait écrit à papa pour lui demander de venir. C'était l'époque où tout le monde partait. Clive lui-même était sur le point de nous quitter. Le fils de Lady Holman, une voisine, venait de s'en aller, et il s'était fait tuer le jour même de son arrivée en France. Papa refusait de quitter Londres. À ce propos, j'écrivais:* Son excuse est que Mrs. Dolby *(sa maîtresse)* donne un dîner en l'honneur de Kitchener. Papa a pour lui beaucoup d'admiration. Il dit que c'est la moindre des choses qu'on puisse faire pour un homme que tout le monde critique. Maman a pleuré tout l'après-midi. Elle a dit à Lady Holman que Mrs. Dolby devait être folle pour le retenir à Londres avec l'assassin de ses fils plutôt que de le laisser venir ici pour leur dire adieu. *Il faut dire que maman a toujours préféré blâmer Mrs. Dolby. Jamais, et même sur son lit de mort, quand papa refusait de venir la voir, elle n'a accepté tel qu'il était le caractère de son mari. Elle ne pouvait croire qu'au fond de leurs cœurs les gens ne s'aimaient pas. Avant de mourir, comme papa ne venait toujours pas, elle m'a dit: «Il viendrait, si elle le permettait.» Clive a tenu à se rendre à Wilton Place — c'est-à-dire ici — pour dire au revoir à son père; mais Michael, qui n'imaginait pas qu'il allait mourir, est parti sans un mot. Je ne sais s'il faut y voir une forme de justice, mais le fait est que, peu après le dîner que Mrs. Dolby avait donné pour lui, Lord Kitchener partait pour Arkhangelsk et se noyait dans la première semaine de juin. Au moins papa avait-il dit adieu à quelqu'un.*

Maintenant, peut-être êtes-vous curieux de savoir si, entre Barbara et Robert, il s'est passé quelque chose sur le plan physique. Eh bien, oui. Je le sais. J'en ai même été témoin. Mais je ne vous le dirais pas si je ne pensais pas que cela puisse avoir eu quelque influence sur l'état d'esprit de Robert au moment où il nous a quittés pour regagner la France. Sinon, je ne me pardonnerais pas de vous l'avoir confié. J'ai d'ailleurs été maintes fois tentée de détruire cette partie de mon journal ; et puis je me suis dit qu'il s'agissait bel et bien de la vie de quelqu'un, de quelqu'un que j'aimais et que je respectais — alors, j'ai renoncé. Je vous lirai donc encore cela, plus un dernier passage, et puis ce sera tout. Pour le reste, vous trouverez d'autres sources.

(Lady Juliet observa un long silence avant de reprendre sa lecture. Les deux passages qu'elle avait annoncés, elle les lut sans s'arrêter, sinon pour changer de position. Le premier se situe peu après l'opération de Robert à Londres. Le second, quelque part en juin, au moment du départ de Clive pour la France.)

Je ne sais pas si Wilson est sage, mais, en tous cas, elle est honnête. Elle ne sait pas cacher ses sentiments, et n'essaie pas de le faire. Elle ne mâche pas ses mots. Une fois, elle m'a dit qu'aux enfants de notre monde, « il manquait de ne manquer de rien » ! Elle ne pensait pas à faire un jeu de mots, j'en suis sûre. Elle disait cela à cause de tous ces droits que nous tenons pour garantis, alors que les *autres* enfants (par « autres », elle entend « les enfants bien ») savent que les leurs sont limités et restent ainsi à « la petite place qui est la leur ». Pour elle, je ne suis jamais à ma place. Et elle a raison. Je me glisse, je fonce, je fourre mon nez partout où je peux. Dans les chambres et dans la vie des gens. Dans les livres aussi. Tout ce que j'ai appris, je l'ai appris comme ça, par indiscrétion. Que les enfants de Mrs. Dolby sont mes demi-frères, personne ne me l'aurait dit ; mais je l'ai entendu, cachée dans le buffet. C'est en fouinant dans la vie de Michael que j'ai appris tout ce que je voulais savoir des garçons ; cela non plus, personne ne me l'aurait dit. Sans mon intervention, le capitaine Taffler serait certainement mort ; et je sais qu'il aurait bien aimé mourir. Mais, surtout, si j'étais restée à ma place, j'ignorerais toujours ce que j'ai appris hier, et que je ne me pardonnerai jamais d'avoir découvert.

Hier soir, j'étais assise dans l'escalier. Je m'ennuyais. Il faut dire que tout allait mal. Michael est parti, et bientôt ce sera le tour de Clive. Je pensais à Robert Ross. Je suis amoureuse de lui, mais il ne vient presque plus discuter avec moi comme il le faisait avant son opération. On dirait qu'il boude. Il va s'installer à l'autre bout de la terrasse et passe son temps à se masser les genoux. Il ne sait rien faire d'autre. Papa s'est montré odieux avec maman. James Villiers est mort de ses brûlures. Clive a peur. Les pacifistes sont sans arrêt par ici à discutailler. Lady Holman et Caroline Tedworth ont passé toute la matinée à pleurer et à gémir dans le bureau de maman. Selon le major Larrabee-Hunt, qui, pour une fois, a montré un peu d'humour, on aurait dit le chœur des *Troyennes*. Temple a une tache rouge, rien qu'une ; mais Wilson a tout de suite mis des herbes à bouillir, tout en grommelant « au nom du Père, du Fils et du Saint-Esprit, épargnez-nous la rougeole, et envoyez-la plutôt aux Allemands, qui sont déjà en train de gagner la guerre ». Mes seins sont bizarres. Tantôt ils me démangent, et tantôt ils me font mal. Maintenant, il faut que je mange des épinards deux fois par jour, et que je prenne un fortifiant plein de rouille. C'est dégoûtant. Bientôt, je serai une femme; mais on continue à m'habiller comme une gamine. Bon. J'étais donc assise dans l'escalier quand j'ai vu Barbara arriver dans le hall et entrer dans la chambre de Robert Ross. Elle n'a même pas frappé. C'est alors que l'idée m'est venue que le moment était peut-être arrivé de prendre la revanche dont j'avais tant besoin. Barbara n'a jamais cru à Lady Sorrel. Robert faisait la tête. Ni lui ni Barbara ne se donnaient plus la peine de me parler, ni même d'être aimables avec moi. J'ai donc pensé que j'allais pouvoir faire d'une pierre plusieurs coups. Je suis descendue, et j'ai raflé les bougies de la salle à manger. Puis je suis allée dans la chambre de Barbara prendre sa robe argent. Je l'ai mise, avec une paire de mules à talons et mon chapeau de paille, que j'ai attaché avec le foulard bleu que Wilson m'a donné pour Noël. J'ai allumé les bougies et je me suis regardée. Ce n'était pas exactement Lady Sorrel *(de loin pas!)*, mais qu'est-ce que ça pouvait faire, puisque Barbara prétendait ne l'avoir jamais vue? Et si Robert l'avait vue, lui, de toute façon, il ne la connaissait pas assez pour savoir qu'elle ne change jamais de vêtements. Je suis donc descendue dans le hall, d'un pas aérien — plus ou moins —, et je me suis approchée de la porte de Robert. Là, j'ai tout de même hésité. Je ne sais pas au juste à quoi je m'attendais, mais j'étais persuadée qu'ils allaient me prendre pour Lady Sorrel. Tout ce que j'avais l'intention de faire, c'était d'entrer, d'aller jusqu'à la cheminée, et d'allumer les bougies avec celles que je tenais à la main. En dehors de ça, je crois que je n'avais pas de plan. Peut-être qu'en grandissant on devient idiot et qu'on fait les choses sans penser.

Ce que j'ai fait, c'était pire qu'une indiscrétion, pire

que tout. C'était pire que pour le capitaine Taffler, où, finalement, ce n'était pas ma faute. C'était pire que pour Michael, où j'ai vite compris ce qui se passait. Là, au contraire, je n'ai pas compris. Et je ne comprendrai jamais. Deux personnes qui se *battaient* — voilà ce que j'ai vu. Au fond de mon esprit, je savais parfaitement qu'ils « faisaient l'amour ». Mais la façon me bouleversait. La manière et la violence. Barbara était couchée, et sa tête pendait au bord du lit. J'ai cru que Robert essayait de la tuer. Ils étaient tous les deux nus. Robert était couché sur elle et la secouait de tout son corps. En fait, c'est tout ce que j'ai vu. Mais ça m'a tellement impressionnée que j'ai continué à voir la scène même après m'être enfuie. Robert avait le cou gonflé de sang, et ses veines ressortaient. Il la haissait. Et Barbara avait une main dans la bouche. De toute la nuit, je n'ai pas pu dormir. J'ai dissimulé les bougies sous mon matelas. La robe et les chaussures de Barbara, je les ai cachées dans le coffre à jouets. Il ne me reste plus qu'à espérer que Temple n'ira pas y mettre le nez. Mais peut-être que ses taches vont s'étendre et qu'elle devra rester au lit. Ce matin, ni Robert ni Barbara n'avaient l'air d'avoir rien vu. Robert a seulement dit à Honor, qui est ici, que Lady Sorrel devait avoir passé dans sa chambre, car il avait trouvé la porte ouverte. Barbara était pâle. J'ai l'impression qu'elle n'a pas dormi davantage que moi. Mais personne n'a rien dit. Je me sens affreusement mal à l'aise. Je sais des choses que je voudrais ne pas savoir.

(*Plus tard :*) Vers midi, je me suis mise à pleurer. Sans savoir pourquoi. Il n'y avait pas de raison. J'étais dans la salle de bal, toute seule. Les portes étaient ouvertes sur le jardin. Barbara avait fait monter de la serre des tas de freesias en pots *(elle devait donner une soirée le lendemain),* et ils étaient là, par terre, en plein soleil. J'étais assise sur une des petites chaises dorées avec Amanda (*ma poupée*), et mes larmes se sont mises à couler sans que je puisse les arrêter. Dans ma tête, je voyais la forme des épaules de Robert et la peau blanche de Barbara... le visage d'Amanda et les coutures qui se défont là où ses mains sont attachées... moi, dans la glace, regardant mes seins... et les yeux de Temple. Je ne sais pas pourquoi. Je ne sais pas pourquoi. Et la tête de Barbara pendant au bord du lit. Et les poils blonds des jambes de Michael. Et tout cela dans les ténèbres. Je ne sais pas pourquoi. Je pleurais. Bêtement. Sans bruit. Il me semblait qu'Amanda était ma seule amie, et je la serrais très fort dans mes bras. Je suis tellement méchante. Pendant des semaines, je l'ai laissée sur le rebord de la fenêtre. Sans même la regarder. Je l'avais laissée toute seule. Je l'avais oubliée. Je ne sais pas pourquoi. Elle allait perdre ses mains simplement parce que je ne m'étais pas donné la peine de les recoudre. Mais, maintenant, elle avait chaud, elle était en sécurité, elle était tout ce que j'avais. Il n'y avait qu'elle et moi, c'est tout. Je ne sais pas pourquoi. Je ne sais pas pourquoi.

Honor est arrivée. Elle est restée un moment dans l'encadrement de la porte. Une fois qu'elle est partie, c'est Clive qui est venu. Il m'a dit: « Tu veux qu'on aille se promener, ou tu préfères rester ici? » Je n'avais pas envie de sortir. Dedans, on se sent plus en sûreté.

Nous sommes restés très longtemps sans rien dire, Clive assis par terre, et moi sur ma chaise, avec Amanda. Enfin, j'ai demandé : « Pourquoi est-ce que Robert et Barbara ont tellement peur ? » Et Clive a répondu : « Tous ceux qu'ils aiment sont morts. » Quand je lui ai dit que tous les gens mouraient, il a rétorqué : « Oui, mais ils ne sont pas tous tués. » Alors j'ai dit : « C'est pour ça que Lady Sorrel allume ses bougies, non ? Pour que le comte de Bath ne meure pas. » Clive était d'accord ; mais il m'a expliqué que, d'une certaine façon, être aimé c'était ne plus avoir le droit de mourir. Et j'ai dit : « Oui, mais ça n'empêche rien. » Il a répété : « Ça n'empêche rien » ; puis il a ajouté : « Sauf, peut-être, de devenir fou. » Ensuite, je lui ai demandé s'il avait peur. Il m'a répondu que oui. Et j'ai arrêté de pleurer. Parce qu'il souriait.

Robert est parti hier. Clive part aujourd'hui. Quand Robert a quitté la maison, j'ai été surprise de voir que Barbara n'était pas avec lui. Elle était restée dans sa chambre et regardait par la fenêtre. On m'a autorisée à l'accompagner jusqu'au bout de l'allée, car il était à pied. Je lui ai pris la main. Il portait des gants. Je l'aime trop. C'est terrible. Il n'a pas dit un mot. Toute la semaine, je m'étais demandé ce que je pourrais lui donner. Lui, il m'avait déjà donné les cahiers de dessins avec les crapauds, les souris, et aussi un portrait de lui endormi. La nuit d'avant son départ, j'ai fini par avoir une idée. J'ai fait un paquet, et, hier, quand nous sommes arrivés à la grille, je le lui ai tendu en lui disant de ne pas l'ouvrir tout de suite. Je lui ai demandé d'attendre qu'il soit dans le train. Peut-être qu'il ne comprendra pas. Mais je crois que oui. C'était une bougie, une bougie de Lady Sorrel, enveloppée dans du papier de soie, et une boîte d'allumettes de cire, que j'ai volée à Wilson. Peut-être qu'il pourra s'en servir lorsqu'il sera dans les tranchées. Sur la boîte, c'est écrit : « ALLUMET-

TES DE CIRE — UTILISABLES PAR TOUS LES TEMPS!»
La bougie est neuve, ou presque: je l'ai juste allumée une fois.

Un jour, quelqu'un a demandé à Clive s'il pensait qu'on nous pardonnerait jamais ce que nous avions fait, c'est-à-dire la guerre et son effet sur notre civilisation. Et Clive a répondu quelque chose que je n'ai jamais oublié. Il a dit: «Qu'on nous pardonne, j'en doute. Mais j'espère qu'on se souviendra que nous étions des êtres humains.»

Sur les 557 017 morts que, jusqu'ici, compte notre récit, une survint dans la rue, provoquée par un tramway, une autre dans un hôpital, des suites d'une bronchite, et une troisième dans une écurie, devant une rangée de cages à lapins.

CINQ

1

Robert quitta Londres le samedi matin à onze heures cinquante-cinq. Il arriva à Southampton à quatorze heures trente, et déposa ses bagages sur un petit vapeur sale et encombré, qui ne devait pas appareiller avant six heures du soir. Dans l'intervalle, il écrivit une carte postale à sa mère pour lui annoncer que son congé était désormais terminé. (Lorsqu'elle reçut ce message, Mrs. Ross retourna avec lui en France.)

La mer fut agitée jusqu'à l'heure du couchant, où le vent tomba. Appuyé au bastingage, Robert se demandait comment il allait rejoindre sa brigade. Normalement, il aurait dû faire la traversée de Folkestone à Boulogne, mais quelques bateaux avaient été coulés dans les parages, au large de la côte anglaise, et pour l'instant ces ports étaient fermés. Le vapeur atteignit Le Havre vers une heure et demie du matin. Avec un petit groupe de compatriotes, Robert attendit dans les docks qu'on vienne le chercher pour le conduire à la base canadienne. Il y arriva à quatre heures trente, au moment où l'on sonnait le réveil.

Le dimanche, Robert dormit jusqu'à midi. Il traîna dans la base jusqu'à l'heure du dîner, où, n'ayant rien reçu concernant son départ, il alla en ville manger au Métropole. Le lendemain, il passa la journée à prendre le soleil contre le mur d'un hangar. À seize heures, son laissez-passer arriva, et il retourna au Havre. À la suite d'une erreur, son sac fut envoyé dans une autre gare que lui. Il contenait ses chaussettes, ses chemises et ses sous-vêtements, ainsi que le webley et ses lunettes d'approche. En hâte, il laissa un mot à l'intention du sergent en charge du transport pour demander qu'on le fît suivre aussitôt qu'on l'aurait retrouvé. Il se sentait étrangement désemparé, un peu comme s'il avait laissé son visage dans un miroir, et son revolver dans des mains étrangères.

Le lendemain matin (mardi), il était à Rouen. Il passa un moment dans la cathédrale, déjeuna au bord de la Seine, et retourna à la gare à trois heures de l'après-midi. Le train roula toute la nuit. À six heures du matin, il s'arrêta dans une ville qui semblait ne pas avoir de nom, et il resta en gare jusqu'à onze heures, sans que les passagers fussent autorisés à descendre. Lorsque, enfin, il repartit, ce fut pour s'enfoncer dans une épaisse forêt où, en plein midi, les rossignols chantaient.

Au sortir de la forêt, il se mit à pleuvoir. Sous le ciel assombri, la campagne était couleur chartreuse. Robert baissa la fenêtre, roula ses manches, et laissa la pluie inonder son visage et ses bras. L'air, chargé d'électricité, dégageait une odeur qui lui rappela Jackson's Point et la véranda grillagée où en ce moment même sa famille s'était peut-être installée pour regarder une tempête de fin de printemps s'abattre sur le lac. Stoïque, Maggie se tient sous les cèdres, les oreilles en arrière, les yeux à demi fermés. Bimbo est couché entre son père et Peggy, qui, chacun de son côté, lui grattent les oreilles. Stuart est dans la remise, à bricoler sa voiturette. Chaque printemps, il en fait un nouveau véhicule. Une année, ç'avait été un char romain; la suivante, une machine inspirée de Jules Verne. Cette fois, ce serait certainement un tank. Sa mère…

Mais, déjà, la nuit était là.

Le jeudi matin, Robert descendit du train au Bois de Madeleine. Douze milles le séparaient encore de Bailleul. Il était quatre heures du matin. Dans une heure, le soleil se lèverait. Robert décida d'attendre le jour pour poursuivre sa route. Il releva son col et se coucha sur un banc pour dormir. Quand il se réveilla, il trouva un vieux chien blanc installé à ses pieds. Il partagea sa ration avec lui, après quoi il se rendit au bureau du sergent en charge du transport. Celui-ci lui offrit une tasse de thé, et lui apprit que, s'il voulait arriver à Bailleul avant la tombée de la nuit, il lui fallait partir immédiatement. En effet, il devrait faire le trajet à pied, car s'il attendait le prochain train, il n'arriverait à destination qu'à minuit, c'est-à-dire qu'il ne trouverait pas de place à l'hôtel. Robert le remercia, donna une dernière caresse au chien, et se mit en route tandis que le soleil se levait.

La campagne était belle et parfaitement calme. Même lorsque les canons se mirent à tirer, leur grondement était si lointain qu'il paraissait venir d'un autre monde. Les arbres finissaient de perdre leurs fleurs, et la route était semée de pétales blancs et roses. Le parfum triste et doux du pollen emplissait l'air où bourdonnaient les premières abeilles. Robert vit une petite ferme blanche à côté de laquelle paissait une vache. Il pensa : ça ne peut pas être la guerre. D'une étable au toit de chaume s'échappait le bêlement des moutons. Sur le pas de la porte, un homme préparait des seaux. C'était l'heure de la traite. Robert le salua d'un geste. L'homme lui répondit. Les ornières qui déformaient la route étaient la seule chose qui trahît la guerre. Robert prit à travers champs. Il ne savait au juste où il était. Il passa devant un certain nombre de bâtiments inhabités, et, brusquement, le paysage lui parut désert. Où donc les gens s'en étaient-ils allés ? Il se sentait abandonné. Il avait perdu son pistolet. Il avait perdu tout ce qu'il possédait de linge propre. Le soleil commençait à taper, de plus en plus chaud. Depuis qu'il avait quitté St. Aubyn, il n'avait pas eu une seule vraie nuit de sommeil. Il marchait dans l'éblouissante lumière, soutenu par l'idée qu'une fois rendu, il pourrait manger, dormir, et se baigner. Et puis, il retrouverait son arme. Mais la route lui semblait longue, si longue. Lorsque, enfin, il arriva, il avait un affreux mal de tête. Il se jeta tout habillé sur son lit pour plonger dans un sommeil peuplé de vaches et de chaumières, bercé par un bruit d'eau léchant les pieds de sa mère, et par le chant des rossignols dans une forêt sans nom.

2

Robert s'éveilla dans les ténèbres. À côté de son lit, il y avait une bougie. Il l'alluma et regarda sa montre. Il était une heure et demie. Du matin ou de l'après-midi? Il alla jusqu'à la fenêtre, tout en remettant sa montre au poignet. Il l'avait achetée à Cambridge, après avoir cassé l'autre. Ou plutôt non, c'était Barbara qui l'avait achetée. Robert s'était senti gêné; mais Barbara lui avait dit: «Ne soyez pas ridicule. Je vous achèterai tout ce qui me fera plaisir.» Il tira les rideaux. Dehors, il faisait nuit noire, mais la cour était pleine de bruits. Il y avait des chevaux et une voiture — une grosse Ford. Robert regarda jusqu'à ce que ses yeux s'habituent à l'obscurité. Il entendit des voix de femmes. Des rires de femmes. Des infirmières. La porte de l'hôtel s'ouvrit, et une flaque de lumière dorée tomba sur les pavés. Une, deux, trois infirmières. Et deux hommes. Il y avait aussi quelques ordonnances qui s'efforçaient de calmer les chevaux. Robert avait le sentiment d'être ivre. Il se demanda même s'il n'avait pas perdu un jour. Il avait l'estomac vide, et une barbe qui lui paraissait vieille de six semaines. Où avait-il été? En rêve, avec son père. Il ouvrit la fenêtre pour faire entrer un peu d'air frais. Maintenant, les femmes étaient à l'intérieur. Il les entendit parler avec le portier — demander à manger. Robert pensa: c'est parfait — je vais descendre les rejoindre. Puis il se vit dans la glace et se souvint qu'il n'avait pas pris de bain depuis plusieurs jours. Son père prétendait que les femmes exigent d'un homme deux choses avant de le laisser s'asseoir, manger ou coucher avec elles : qu'il soit propre et qu'il ait l'haleine fraîche. Robert retourna se coucher sur le lit. Il ne descendrait pas. Dans l'état où il se trouvait, ce n'était pas possible. Il chercha sa gourde et but une longue rasade de cognac, qui le fit frissonner. Puis il alluma une cigarette. Il se demanda où pouvait bien être son sac. Pendant des jours et des jours, il avait dormi dans la même chemise et les mêmes sous-vêtements.

Ainsi étendu, écoutant d'une oreille distraite les bruits mêlés des chevaux dans la cour et des femmes dans la salle à manger, il passa une main sur son ventre, puis la glissa entre ses jambes. Bang! bang! bang! crachaient les canons. Mais Robert n'écoutait pas. Presque languissamment, il défit les boutons de son pantalon, un à un. Les yeux mi-clos, il regardait le plafond. Les femmes continuaient à jacasser. L'une d'elles demanda du vin. Un gramophone se mit à égrener une chanson : «*Lil — Lil — Lily de Piccadilly — assise sur un banc — au bras de son galant — sous un soleil de miel...*» Au loin, le tir se poursuivait sur le même rythme monotone. Une odeur de mazout et de sueur envahit la chambre. Robert déboutonna sa chemise et l'ôta. C'était mieux. Il se leva, puis laissa son pantalon et son caleçon tomber sur le plancher. Le miroir reflétait son corps, pâle dans la pâle auréole de la bougie. Il avait l'air d'un fugitif. Avec sa barbe et les ombres qui creusaient ses yeux, on aurait dit un vieillard. Il sourit. Lui qui croyait que la glace allait lui renvoyer l'image d'un dieu! En bas, on se mit à danser : «*Lil — Lil — Lily de Piccadilly — prends-moi dans tes bras — redis-moi ce que tu m'as dit — à Piccadilly. Oh! Lily — avec ton Billy — sous le soleil de midi!*» Robert se laissa tomber sur le lit. Il avait le souffle court et se sentait tout étourdi. Un vent frais caressa sa poitrine et ses cuisses. Son aine était moite de transpiration. Il avait les pieds glacés. Il but une nouvelle lampée de cognac. Ses yeux restaient obstinément ouverts, fixés sur le plafond. Il ferma la main sur son sexe, songeant à quel point il était petit. Il releva les genoux. Soudain, il se sentit effroyablement seul. Son lit était une nacelle suspendue au-dessus d'un gouffre sans fond. Seul, sans attaches — seul, dans le vide, malgré la musique et le rire des femmes. Dehors, un cheval hennit doucement. La flamme de la bougie vacilla, puis mourut. L'oubli. Robert s'endormit, le poing sur le ventre, où s'étaient épanchées toutes ces vies qui ne seraient jamais.

3

Lorsque Robert se réveilla, il constata qu'il avait plu. Il était midi passé. Une vieille dame, courbée en deux, lui apporta un broc d'eau tiède et une tasse de thé faible. Il se rasa ; mais juste comme ça, en passant. Le travail sérieux, il le ferait tout à l'heure, quand il serait aux bains : là, il se raserait jusqu'à l'os. Il était plein de puces ; mais mieux valaient les puces que des poux — au moins, on pouvait les noyer. En arrivant à Désolé, chacun recevait une petite bouteille de savon liquide vert, qui brûlait si on le mettait directement sur la peau.

Robert se réjouissait de son bain. Ce serait une fête,

une orgie d'eau et de vapeur. Ensuite, il s'offrirait un somptueux repas, avec du poulet; il s'installerait en bas, à côté du gramophone, et boirait une bouteille de vin. Il mit sa culotte et ses bottes de cheval ainsi que le chandail kaki qu'avait tricoté pour lui Eloise Brown. Elle le lui avait envoyé avec sa photographie. Au temps de Heather Lawson, Eloise Brown était toujours restée à l'arrière-plan; mais maintenant que Heather était fiancée à Tom Bryant, elle avait fait un sérieux pas en avant. Avec sa pâleur de blonde, elle était plutôt jolie; mais elle était timide, et Robert ne faisait pas grand cas de l'intérêt qu'elle lui portait. Il n'en reste pas moins que le chandail était parfait.

Avant de sortir, Robert dit au portier que, pour le soir, il voulait un poulet. Le portier parlait un peu toutes les langues: français, allemand, néerlandais, anglais, flamand — et même quelques mots d'un espagnol qui datait de l'époque où, quatre cents ans plus tôt, Philippe II d'Espagne avait fait valoir ses droits sur le pays. Il avertit Robert que le poulet coûterait cher; mais Robert le rassura: il était prêt à payer une fortune.

Robert traversa la ville sans se presser. Toutes espèces de véhicules encombraient les rues: voitures de munition, voitures-canons, camions, automobiles, motos et ambulances, cherchant à se frayer un chemin au milieu de la circulation. Il y avait des convois de nourriture et des convois de foin pour les chevaux, des convois d'eau et des convois de médicaments, de longues files de mules et de chevaux pour remplacer les bêtes du front. Et des soldats, avec, au dos, des paquetages de 60 livres sur lesquels bringuebalaient des pelles et des casques.

Des officiers défilaient dans des limousines, et Robert vit même un tracteur RAYMOND/ROSS tirer un obusier de campagne. Le bruit était assourdissant. Des chants retentissaient parmi les hennissements des chevaux, les grincements des harnais et la plainte aiguë des moteurs : *« Baisse la tête, Fritzie boy ! Baisse la tête ! Durant toute la nuit, sous le pâle clair de lune, je t'ai vu ! Je t'ai vu ! »* À voix basse, Robert reprit avec eux : *« Tu chargeais ton fusil — sous un feu nourri — alors, si tu veux revoir ta mère, ton père, ton frère — baisse la tête, Fritzie boy ! Baisse la têêêêête !!! »* Tout en fredonnant, Robert se rappelait les matchs de football où, tout autour du terrain, par les jours froids d'automne, les spectateurs se prenaient par le bras pour se balancer en chantant : *« Vive le ballon, et vive St. Andrews ! Vive le ballon qui vole vers le but ! »* Depuis l'âge de douze ans, il n'avait plus rêvé de gloire. Maintenant, il y trouvait un certain réconfort.

Il quitta la route pour couper à travers les champs et gagner Désolé. Dans les fossés tapissés de primevères barbotaient des canards. Robert s'étonna qu'il y en eût encore, quand tant de soldats affamés écumaient la campagne en quête de rations supplémentaires ; mais il vit un garçon de huit ans environ assis sur une borne avec un énorme tromblon. Robert le salua d'un geste pour montrer qu'il n'avait que de bonnes intentions. Cependant, l'enfant ne lui répondit pas. Les sourcils froncés, il le suivit des yeux jusqu'au moment où il l'eut dépassé, après quoi il cracha sur le bout de sa botte.

La cour de Désolé était pleine de pensionnaires, reconnaissables à leurs blouses bleu ciel, que surveillaient de petits groupes de religieuses. Robert avait eu l'occasion de constater que la douceur de ces dernières était toute apparente. Certes, elles souriaient beaucoup et se montraient très accueillantes, mais si quelque dispute survenait parmi les malades, elles relevaient leurs manches et fonçaient dans la bagarre comme des gladiateurs. Sous leur robe, elles cachaient des muscles d'athlètes. Robert les avait vues plaquer des pensionnaires contre un mur et les assommer à coups de poing — après quoi, bien sûr, elles s'agenouillaient auprès d'eux et déployaient les soins les plus dévoués pour les ranimer et panser les blessures qu'elles venaient de leur infliger.

Les bains eux-mêmes étaient installés dans ce qui, il y a très longtemps, devait servir de cuisines. Haut et voûté, le local ne recevait d'autre lumière que celle qui filtrait à travers les vitres sales des soupiraux. Une série de vieilles cellules, abandonnées il y a plus d'un siècle, tenaient lieu de vestiaires. Ces cellules n'avaient pas de fenêtres ; et, sans l'unique lanterne qui les éclairait, elles eussent été aussi noires que des caves, dont elles avaient d'ailleurs l'humidité, et, sans doute, le contingent de rats. Des grilles métalliques fermaient les extrémités du corridor et chaque cellule avait une porte de fer que l'on pouvait clore, bloquant ainsi toute lumière extérieure. Robert n'aimait pas le bref moment qu'il y passait à se déshabiller, et c'est toujours avec soulagement qu'il retrouvait la haute salle toute pleine de vapeur. Il détestait les pièces trop petites — il détestait être enfermé. Depuis que le toit de l'abri s'était effondré, il avait peur des murs qui le serraient de près. Il sortit en courant.

Dans la pièce où se donnaient les bains, le personnel était recruté parmi les malades les plus capables ; qui souvent étaient de simples attardés. Parfois, lorsque les soldats n'étaient pas trop nombreux, les pensionnaires étaient autorisés à se baigner en même temps. Ils étaient alignés contre le mur, enveloppés dans des couvertures blanches pour ne pas attraper froid. Parmi eux, il y en avait toujours qui craignaient l'eau, et qu'il fallait plonger de force dans les baignoires. Ce jour-là, il y avait une douzaine de malades au moins, que surveillaient une poignée d'assistants, suffisamment forts pour parer à toute éventualité. Robert nota en outre qu'il y avait des hommes de tous les grades, alors que, précédemment, les bains de Désolé étaient exclusivement réservés aux officiers.

Robert passa plus d'une heure dans sa baignoire. Il se rasa de nouveau, se lava les cheveux, et se savonna de pied en cap. Il se nettoya les ongles des pieds et des mains et se frotta les poignets et les épaules avec une brosse qui eût rendu justice à un mur de béton. Lorsqu'il eut terminé, il resta dans l'eau à se prélasser jusqu'à en avoir les doigts et la plante des pieds tout ridés. Enfin, il se décida à sortir et se rinça avec quatre seaux d'eau tiède tirée de la citerne. Il venait de s'essuyer et s'apprêtait à aller se rhabiller lorsqu'un malade se mit à hurler et à crier des obscénités au surveillant qui tentait de le faire entrer dans une baignoire.

C'est ainsi que tout commença — par un homme un peu dérangé, pris d'une brusque colère.

Robert regarda un instant, légèrement amusé par cette vision de bras et de jambes gigotant en tous sens, et par le flot d'injures que vomissait le malheureux. Mais bientôt, il repartit vers sa cellule, sa serviette nouée autour des reins.

Lorsqu'il eut atteint le couloir, le vacarme avait pris une telle ampleur qu'il se retourna pour jeter un nouveau coup d'œil. Cinq ou six autres malades s'étaient jetés dans la mêlée. La plupart des soldats étaient sortis de leurs baignoires pour assister au pugilat, et agitaient leurs serviettes de bain comme s'ils avaient été à un match de boxe. Robert songea que, si personne ne venait à la rescousse, la situation risquait encore de s'aggraver ; cependant, aussitôt franchie la porte de sa cellule, il pensait au poulet qui l'attendait pour le dîner. Ce n'est qu'après avoir fait deux ou trois pas à l'intérieur qu'il s'aperçut que la lanterne avait été éteinte. Déjà, il était trop tard. Quelqu'un était là, avec lui, et la porte s'était refermée, étouffant son cri, le coupant du monde extérieur.

Il avait crié malgré lui en entendant la porte claquer. Personne ne l'avait touché. Pourtant, il savait qu'il n'était pas seul. Il s'était figé au centre de la cellule — du moins il le croyait. Il entendait respirer. Il entendait aussi de légers frôlements. Il songea que ce devait être des rats. Il espérait que ses yeux allaient s'accoutumer à l'obscurité ; mais l'obscurité était complète. Il ne voyait rien. Il était aveugle.

« Qui est là ? » demanda-t-il.

Quelqu'un bougea.

Et quelqu'un d'autre.

Ils étaient deux.

À peine avait-il fait cette réflexion que Robert entendit un nouveau bruit. Il était encerclé. Ils étaient au moins trois, et même plutôt quatre, cachés dans les ténèbres. Il sentit quelqu'un tirer sur sa serviette. Il la retint. La traction s'accentua. Il n'osait pas éloigner les mains de son corps. Il était certain qu'il toucherait quelqu'un, et cette pensée lui était insupportable — ne sachant pas qui était là, pourquoi on avait repoussé la porte ni pourquoi on l'avait enfermé.

Soudain, sa serviette lui fut arrachée. Il était nu et sans défense. Il mit une main sur son sexe. Il sentait qu'on allait le frapper. Il aurait bien aimé se protéger les yeux aussi, mais il lui fallait garder une main libre pour se défendre. Il craignait que ses agresseurs ne fussent armés. Il avait la gorge nouée et la bouche complètement sèche. Il pouvait à peine respirer. Les ténèbres étaient redoutables et semblaient envahir son cerveau. D'un seul coup, la cellule s'était emplie d'humidité, comme une chambre chaude ou un bain de vapeur. Robert ruisselait de sueur. Son esprit trébuchait sur une plage de mots, qu'il ramassait comme des pierres et lançait dans sa tête sans qu'aucun ne tombât dans sa bouche. Pourquoi ? ne cessait-il de se demander. Pourquoi ?

Quelqu'un l'effleura. Il s'écarta. De derrière, une main se glissa sous son bras pour descendre vers son ventre. Des doigts plongèrent dans les poils de son pubis avant de se refermer sur son sexe. Robert sentit un corps nu se presser contre son dos, tandis qu'une bouche humide se collait à son épaule. Les doigts qui le tenaient commencèrent à le caresser, très lentement. Il essaya de reculer mais quelqu'un s'agenouilla devant lui, entoura d'un bras ses genoux, et se mit à frotter sa joue contre ses cuisses. Robert rejeta la tête en arrière pour crier. Cependant, déjà une main s'était plaquée sur son visage et les doigts fourrageaient dans sa bouche. Il crût que sa mâchoire allait se décrocher. Son cri s'arrêta dans sa gorge comme pour l'étouffer.

Il se débattit alors avec une telle violence que tous ses assaillants se jetèrent sur lui — toujours sans un bruit — pour le faire basculer. Il était maintenant couché sur le dos — couché sur quelqu'un qui le maintenait dans cette position. On lui écartait les jambes. Des bouches commencèrent à lécher ses parties génitales. Des mains et des doigts tâtaient et fouillaient son corps tout entier. Quelqu'un le frappa au visage.

Robert était sur le point de défaillir. Tandis qu'on le soulevait pour le retourner, il n'essaya même pas de se débattre. Cette fois, il était sur le ventre — et sur le ventre de quelqu'un, avec quelqu'un d'autre couché sur lui. Tout ce qu'il sentait, c'était le poids de l'homme qui le pénétrait et la force redoutable avec laquelle il le faisait. Dans un geste désespéré, il tenta de mordre celui qui se trouvait sous lui ; cependant, une main l'attrapa par les cheveux et lui tira si vivement la tête en arrière qu'il en perdit le souffle. Enfin, il s'évanouit. Dans son cerveau, le silence s'était fait.

Lorsqu'il revint à lui (après une heure ? après une minute ?), il comprit que les autres se retiraient. Lui-même était couché sur le sol, le visage contre les dalles. Il entendit tirer le verrou de la porte, et il essaya de lever la tête pour regarder. En vain. Son cou refusait de bouger. Il sentit qu'il allait à nouveau défaillir. Cependant, avant de sombrer dans l'inconscient, il entendit distinctement une voix dire : « Laissons-lui son argent — ça pourrait nous faire repérer. »

Ses assaillants n'étaient donc pas des fous, ainsi qu'il

le pensait, mais des soldats, comme lui. Peut-être même des officiers. Il ne le saurait jamais. Il n'avait pas vu leurs visages.

5

Robert était debout au milieu de la chambre.

Il voulait une chemise propre.

Il voulait des sous-vêtements propres.

Il voulait son pistolet.

Il regarda derrière la porte.

Il regarda sous le lit.

Il enleva l'un après l'autre les tiroirs de la commode.

Il les vida sur le plancher.

Il souleva le matelas et le mit en travers du lit.

Rien qu'un vieux magazine.

Il regarda derrière la table de toilette.

De la poussière.

Il retourna le broc.

De l'eau.

Il jeta le broc dans un coin de la pièce.

Il se brisa en seize morceaux.

Il retourna la toilette.

Rien.

Il s'agenouilla à côté du lit, déchira le matelas, et en sortit de grosses touffes de crin, qu'il jeta par terre.

Il déchira les oreillers, et l'air s'emplit de nuages de plumes.

Son arme. Son arme. Il voulait son arme.

Quelqu'un frappa à la porte. Robert pouvait à peine parler.

On frappa encore. « Qui est-ce ? »

Il avait peur d'ouvrir.

« C'est moi, mon lieutenant, dit une voix qu'il reconnut sans pouvoir l'identifier.

— Allez-vous-en.

— Je ne peux pas, mon lieutenant. J'ai quelque chose pour vous.

— Quoi ?

— Votre sac. »

Robert s'enroula dans un drap — tout à fait comme un fou — et se décida à ouvrir.

C'était Poole.

« Bon Dieu ! dit Robert. D'où est-ce que vous venez ?

— Je ne fais que passer, répondit Poole. Mais votre sac est arrivé au Q.G. du bataillon, et j'ai pensé que vous seriez content de l'avoir.

— Entrez, dit Robert.

— Je ne peux pas rester, expliqua Poole en regardant le désordre de la pièce. J'ai un train à prendre.

— Juste une minute, insista Robert. Je vous en prie. » Poole entra et Robert referma la porte. Il prit le sac — peut-être un peu brutalement — en l'arrachant presque des mains de Poole.

Il y eut un long silence gêné.

Robert dit : « Vous avez l'air en forme.

— Merci », dit Poole.

Robert sourit. « Votre voix a changé.

— Oui, mon lieutenant. Je crois aussi.

— C'est comme ça..., ça nous arrive à tous. »

Robert essaya de rire. Puis il ne sut plus que dire —

ni que faire. « Vous allez en Angleterre ? demanda-t-il.

— Oui, mon lieutenant.

— Et comment vont les autres ? Bonnycastle ? Devlin ? Roots ?

— Hélas, le lieutenant Bonnycastle...

— Oh !

— Mais les autres vont bien. Lorsque je suis parti...

— Oui, je comprends. Et, maintenant, vous devez vous en aller... Oui, je comprends. Je vous souhaite bonne chance, Poole.

— Merci, mon lieutenant.

— Je suis content que vous ayez ramené mon sac. Il me manquait.

— Je suis content aussi. »

Ils étaient là, debout. De tout son cœur, Robert souhaitait maintenant que les hommes puissent s'embrasser. Mais il savait qu'ils ne le pouvaient pas. Qu'ils ne le devaient pas. Il dit brusquement au revoir. Poole partit sans rien ajouter. Robert l'entendit descendre l'escalier. Puis il l'entendit sortir dans la cour, et il alla regarder à la fenêtre. Il espérait que Poole lui ferait signe. Mais non. Il s'éloigna sans se retourner et disparut dans la foule.

Robert s'assit sur le matelas déchiré, et il ouvrit son sac.

Tout y était — y compris la photo de Rowena.

Il la brûla au milieu du plancher.

Ce n'était pas un acte de colère, mais un acte de charité.

6

Ce devait être l'offensive la plus importante que les Anglais eussent lancée contre le saillant. Des convois d'hommes et de matériel s'acheminaient le long des routes.

Tôt le matin, Robert se joignit à l'un d'eux.

C'était un convoi de munitions, que suivaient trente-cinq mules et une centaine de chevaux. Robert avait mis son lit de camp, son sac et sa musette à l'arrière d'une voiture, où il pouvait les voir. Son webley avait retrouvé sa place dans son étui.

Ils s'engagèrent à travers le marais où, durant l'hiver, Robert avait failli se noyer. Ce n'était pas le même endroit, songea-t-il. Parmi les roseaux, des oiseaux chantaient. Des péniches remontaient le canal. Trois d'entre elles étaient halées par des vieillards et des enfants ; une seule était tirée par un cheval. Tout cela était si incongru. Debout sur un des ponts, une femme leur faisait signe. À moins d'un mille de là, des obus éclataient.

Arrivés à une bifurcation, ils rencontrèrent la police militaire. Ses hommes portaient des brassards rouges. L'étui de leur revolver était ouvert. Ils dirigeaient le trafic, tout en essayant de repérer les éventuels déserteurs. Et, bien sûr, les éventuels espions. À chaque fois qu'il y avait des mouvements de troupes aussi importants, des hommes en profitaient pour essayer de regagner l'arrière en se faisant passer pour des blessés, ou même pour des courriers. Par ailleurs, des espions déguisés en paysans tentaient de se glisser dans les rangs parmi les réfugiés. Le travail de la police militaire était souvent très dur. Lors des attaques, c'était à elle de veiller à ce que tous les hommes sortent des tranchées, et elle avait l'ordre d'abattre ceux qui s'y refusaient. Parfois, cela arrivait ; mais Robert ne l'avait jamais vu.

La route se séparait en deux. L'un des embranchements se dirigeait vers le nord-est et Ypres, l'autre, vers le sud et Wytsbrouk. C'est ce dernier que prit le convoi de Robert. La plupart des canons et presque toutes les troupes continuèrent dans l'autre direction pour être déployés dans les régions de la route de Menin et de la Colline 60. Ce n'étaient toujours là que des objectifs. Rien encore n'avait été gagné.

Après quelque dix minutes, ils atteignirent un nouveau croisement, où ils prirent la direction de Saint-Éloi. Robert avait un peu l'impression de se retrouver chez lui.

Il était onze heures quarante-cinq.

Le ciel était piqueté de points sombres.

Étrange.

Robert regarda en l'air.

Il aurait dû y avoir des oiseaux.

Il chevauchait vers le milieu de la colonne.

Du coin de l'œil, il vit un lapin sur le bord de la route. Puis il y eut une ruée d'ailes.

Quelque chose explosa.

Le lapin disparut.

Robert se baissa, tandis qu'un violent souffle d'air le poussait en avant. Son casque tomba. Il ouvrit les yeux. Le conducteur du chariot à bagages venait de se faire arracher la tête par les roues d'un avion, et ses bras s'étaient levés comme pour la rattraper.

Une bombe tomba. Elle explosa à droite de Robert.

Il fut jeté à bas de sa monture. Mais il retomba sur ses pieds. Il tenait toujours à la main les rênes de son cheval. Celui-ci se cabra. Robert tira sur la bride pour essayer de le calmer. Une nouvelle bombe explosa. Il y avait des avions partout, si nombreux que Robert n'eut pas le temps de les compter.

Chevaux, hommes et mules couraient dans tous les sens. Robert semblait occuper le centre de la scène. Autour de lui, tout était en mouvement. Il y avait tant de bruit, tant de cris, qu'il n'entendit pas les avions revenir ni tomber le nouveau chapelet de bombes.

Les avions survolaient la route si lentement que Robert crut qu'ils allaient atterrir. Il pouvait même voir le visage des pilotes. Cette fois, les bombes explosèrent au plus fort du convoi. Puis ce fut le silence.

Les avions s'en étaient allés. La route et les fossés s'étaient transformés en charnier. Robert glissa un pied dans l'étrier. Son cheval se mit à tourner en rond. Il eut toutes les peines à monter. Maintenant qu'il était en selle, il mesurait mieux l'étendue du désastre. Des hommes se relevaient. Quelques bêtes affolées couraient de-ci de-là, essayant de s'enfuir, puis faisant brusquement demi-tour, comme arrêtées par une invisible barrière.

Enfin, un groupe de survivants se forma : sept mules, quinze chevaux, et vingt-trois d'entre les soixante hommes. Lorsque Robert se pencha pour ramasser ce qui restait de son sac — c'est-à-dire pas grand-chose —, il trouva la bougie de Juliet plantée dans la terre. Elle était de guingois et, par quelque miracle, elle s'était enflammée. Il la souffla et la mit dans sa poche. Puis il alla aider les autres survivants à se dégager des cadavres.

7

Robert passa les prochains six jours à escorter des convois. Souvent, il s'agissait de convois d'animaux, mais pas nécessairement.

Parfois, les voyages s'effectuaient la nuit; parfois, sous la pluie; toujours sous les bombes. Par places, les fossés étaient littéralement remplis de cadavres, et leur amoncellement dépassait le niveau de la route. On trouvait de plus en plus de convois entièrement détruits. Des pionniers travaillaient aux routes de l'aube au crépuscule, mais ils devaient se contenter de les maintenir ouvertes en jetant les morts et les décombres dans les fossés. On ne pouvait rien brûler. On ne pouvait rien récupérer. Il n'y avait pas d'hommes pour cela — ni suffisamment de temps entre les attaques.

Étant avec les convois, Robert n'était pas retourné dans les tranchées. Mais il entendait maintes histoires sur ce qui s'y passait. À certains endroits, les Allemands reculaient. Au sud de Saint-Éloi, les tranchées avaient été prises, et le cratère où Robert avait tué le tireur allemand ne faisait plus partie du *no man's land*: il était désormais cent cinquante verges à l'arrière du front.

Mais c'étaient là des succès ponctuels. Les Allemands avaient contre-attaqué et fait nombre de prisonniers. On racontait aussi que, parmi les troupes britanniques, certaines s'étaient rendues, y compris de nombreux Canadiens. Quelle que soit l'importance des effectifs lancés contre l'ennemi, le nombre et la ténacité des Allemands paraissaient toujours supérieurs. Cependant, un flot continu de renforts arrivait de l'arrière. Entre Bailleul et le front, c'était un va-et-vient constant de troupes, de convois et d'ambulances — une sorte de carrousel sans fin, où il arrivait que Robert ne sût plus très bien dans quel sens il allait. La nuit, le bruit des canons était pratiquement le seul moyen de s'orienter.

Au sud de Wytsbrouk, le front était particulièrement faible. Dans cette région, la crête, que les Allemands tenaient toujours, s'incurvait vers le nord en direction de Passchendaele. Elle formait donc un coude, qui offrait aux Allemands le double avantage de pouvoir tirer dans deux directions, c'est-à-dire, là où le coude s'enfonçait dans le *no man's land,* de pouvoir tirer dans le dos des troupes attaquant le flanc opposé. À cet endroit précis, les pertes quotidiennes se chiffraient par centaines. Cette portion de l'arête paraissait imprenable ; et, plutôt que de soutenir une attaque qu'elles croyaient sans espoir, bien des troupes s'étaient déjà rendues à l'ennemi. La route qui, de là, coupait celle de Bailleul à l'arrière de Wytsbrouk, voyait défiler un cortège presque ininterrompu de soldats épuisés et de blessés à peine capables de marcher, parmi lesquels justement tentaient de se glisser des déserteurs. En conséquence de quoi la police militaire se tenait en permanence à l'intersection des deux routes, où, parfois, on entendait claquer un coup de revolver.

Une nuit, environ une heure avant l'aube, Robert parcourait ce tronçon de route à la tête d'un convoi de munitions. Il pleuvait. Par deux fois, son cheval avait glissé dans une fondrière, et il avait été contraint de faire à pied une partie du trajet. Mais maintenant, il était à nouveau en selle, à moitié endormi. Les canons s'étaient enfin tus. Il n'y avait pratiquement pas de lumière. Les rafales de pluie et les grincements des chariots étaient tout ce qu'on entendait. Soudain, Robert sortit de sa torpeur : son cheval venait de faire un écart et refusait d'avancer.

Robert essaya de presser sa monture. En vain. Il se décida donc à mettre pied à terre pour voir quel pouvait être le problème. Il alluma sa torche. Dans la boue, où il enfonçait jusqu'aux chevilles, un corps gisait en travers de la route. Un homme. Un officier. Il avait reçu une balle dans le dos. Il était couché sur le ventre. Pensant que, peut-être, il vivait encore, Robert le retourna précautionneusement. Non — il était mort, et depuis plus d'une heure. C'était le cadavre de Clifford Purchas.

8

Le septième jour après son retour au front, Robert se trouvait dans les écuries jouxtant le bureau des transmissions avec un nouveau convoi de chevaux et de mules (environ trente de chaque) lorsque éclata un tir de barrage qui devait durer vingt-quatre heures. Cette fois, les Allemands avaient parfaitement réglé la hausse, et il était rare qu'un obus manquât son objectif.

Durant les trois jours précédents, Robert n'avait pas dormi plus de huit heures. Il vivait de chocolat, de thé et de rhum, qu'il prenait dans les voitures de ravitaillement. Son corps était complètement engourdi, et son esprit se trouvait réduit à une petite coquille protectrice où il abritait le minimum vital de raison.

Tous les obus n'éclataient pas dans le voisinage immédiat, car le tir s'étendait sur une ligne d'environ un mille de chaque côté du bureau des transmissions. À un certain moment, Robert alla trouver le capitaine Leather pour lui demander l'autorisation de prendre les chevaux et les mules qu'il venait d'amener, et de faire avec eux une retraite stratégique afin de les sauver. Mais le capitaine Leather, qui se trouvait alors sous une table (de même que Robert), refusa catégoriquement: «De quoi est-ce que nous aurions l'air? On ne nous le pardonnerait jamais!» Robert retourna donc aux écuries, où il retrouva Devlin, roulé en boule dans une stalle, la tête entre les genoux.

Cependant, quand les obus se mirent à tomber dans la cour, Robert n'y tint plus. «Tant pis pour les ordres, dit-il à Devlin. Je vais m'occuper de sauver ces bêtes. Tu viens avec moi?» Devlin aurait bien voulu — et il le dit. Mais il avait peur du capitaine Leather. «Leather est fou», déclara Robert. Puis il ajouta: «On ne peut tout de même pas appeler désobéissance le fait de sauver des bêtes dont nous avons le plus grand besoin, non? Et si elles restent ici, elles seront tuées, ça ne fait aucun doute.» Devlin acquiesça, puis tous deux se mirent à détacher les chevaux et les mules pour les conduire dans la cour. Tandis que Devlin s'occupait d'ouvrir les barrières, Robert retourna dans l'écurie détacher les derniers chevaux.

Comme il était à l'intérieur, le malheur voulut que, dans les bureaux, le capitaine Leather sortît de dessous sa table pour aller jeter un coup d'œil à la fenêtre. Il ne lui fallut pas longtemps pour comprendre ce que Devlin était en train de faire. Malgré les bombes, il se précipita dans la cour et se mit à l'injurier. Cependant, Devlin ne se laissa pas impressionner. En dépit de la crainte que lui inspirait le capitaine, maintenant qu'il avait pris la décision de suivre Robert, il était déterminé à aller jusqu'au bout et à en assumer les conséquences.

Leather appela à la rescousse un représentant de la police militaire.

Personne ne vint.

Il se précipita sur Devlin en brandissant son revolver.

«Remettez immédiatement ces barrières en place! hurla-t-il. Vous entendez? Immédiatement!»

Mais Devlin continua à faire sortir les bêtes — jusqu'au moment où une balle l'arrêta. Le capitaine Leather courut alors jusqu'aux barrières et entreprit de les remettre en place.

Il y avait maintenant trente à quarante chevaux et mules dans la cour, où ils tournaient en rond.

Robert sortit de l'écurie et vit ce qui s'était passé.

Aussitôt qu'il l'aperçut, le capitaine Leather agita son revolver en criant: «Traître! Vous n'êtes qu'un traître! Vous allez me le payer!» Cependant, avec les chevaux qui couraient devant lui, il ne pouvait viser Robert, qui, de son côté, essayait d'atteindre les barrières.

C'est alors qu'une bombe tomba sur le bureau des transmissions. Robert n'y prit pas garde. Le bâtiment s'enflamma. À l'intérieur, des hommes se mirent à crier.

Une autre bombe tomba alors sur les écuries, qui prirent feu, elles aussi. Quelques chevaux se précipitèrent à l'intérieur, sans que Robert ne pût rien faire pour les retenir: il était trop éloigné. «Vas-y, continue, se disait-il à haute voix. Continue. Ne t'arrête pas.»

Le capitaine Leather était désormais à dix verges de lui; les barrières, à cinq.

«Arrêtez!!!» hurla Leather.

Comme en réponse à cet ordre, trois obus explosèrent simultanément dans la cour.

Robert fut projeté sur la route. Lorsqu'il se fut remis sur pied, il constata qu'il ne restait des bâtiments que des ruines en feu. Le centre de la cour était un trou fumant, où agonisaient les chevaux et les mules qui n'étaient pas morts sur le coup. Robert semblait être l'unique survivant.

Il sortait son webley pour achever les bêtes, lorsqu'il interrompit son geste pour contempler la scène. Brusquement, la colère qui couvait en lui se déchaîna avec une telle violence qu'il sentit sa raison vaciller. Il songeait : si un animal était responsable de ce carnage, on le déclarerait enragé et on l'abattrait sur-le-champ. Au même moment, il vit le capitaine Leather s'agenouiller et tenter de se mettre debout. Il lui tira une balle en plein front.

Il lui fallut près d'une demi-heure pour tuer ce qui restait de mules et de chevaux. Après quoi, il arracha les insignes de son uniforme et quitta le champ de bataille.

9

Le jour où elle apprit que Robert manquait à l'appel, Mrs. Ross refusa de s'habiller. Elle resta en chemise de nuit, et se mit à errer à travers la maison, une bouteille dans une main et un verre dans l'autre. Miss Davenport s'enferma dans sa chambre et s'assit dans un fauteuil, le dos à la fenêtre. Cependant, pour ne plus entendre les plaintes que Mrs. Ross adressait au ciel, elle dut se boucher les oreilles.

Peggy et son père s'installèrent au salon, où Mr. Ross tira les rideaux. Dehors, un rouge-gorge chantait. Il faisait un temps radieux, et les lilas étaient encore en fleur.

Stuart était assis avec Bimbo au pied de l'escalier. L'aspect de sa mère l'inquiétait. Le terrifiait. Pourtant, la mort probable de son frère était en soi quelque chose de singulièrement excitant. Non pas qu'il souhaitât rien de mal à Robert, mais il ne pouvait s'empêcher de penser au moment où il annoncerait à ses camarades: «Mon frère est mort. On va sûrement le décorer.» Et cette perspective lui donnait des frissons dans le dos.

Le télégramme était arrivé juste après le déjeuner. Maintenant, l'après-midi touchait à sa fin. Mrs. Ross s'était promenée dans toute la maison. Elle était pieds nus. Ses cheveux défaits lui tombaient dans le dos. Stuart se décida à aller au salon rejoindre son père et sa sœur. Un étrange silence pesait sur la maison. Inquiète, Miss Davenport avait fini par ouvrir sa porte.

Debout sur le palier, Mrs. Ross laissa tomber sa bouteille, qui roula jusqu'au bas de l'escalier. Brusquement, elle poussa un cri déchirant.

Tout le monde se figea. Même les voisins, écoutant par les fenêtres ouvertes.

Mrs. Ross tendit une main devant elle et avança d'un pas. Elle trouva la rampe. Elle s'y cramponna pour descendre jusque dans le hall. Arrivée en bas, elle faillit marcher sur la bouteille. Enfin, elle s'assit sur la marche que Stuart venait de quitter.

«À l'aide», murmura-t-elle.

Personne ne bougea.

«À l'aide.»

Au salon, son mari se leva.

«À l'aide», répéta Mrs. Ross.

Son mari s'approcha d'elle et lui tendit la main.

«Où es-tu? Où es-tu? Où es-tu?»

Mr. Ross: «Ici.»

Mrs. Ross: «Aide-moi. Je te prie. Je ne te vois pas.»

Mr. Ross s'assit à côté de sa femme. Il lui entoura les épaules d'un bras et la serra contre lui. Elle était glacée.

«Je suis aveugle, dit-elle. Je ne vois plus.»

Il n'y avait plus dans sa voix la moindre trace d'émotion. Cependant, elle chercha à tâtons la main de son mari.

«Ne t'inquiète pas, dit Mr. Ross. Ne t'inquiète pas, nous sommes là.»

Peggy était apparue dans l'encadrement de la porte. Mr. Ross lui fit signe d'apporter le manteau de sa mère. Lorsqu'elle le lui eut donné, il en enveloppa les épaules de sa femme. Après quoi, il renvoya Peggy, Stuart et Bimbo. Tous trois sortirent au jardin.

En haut, Davenport était à la fenêtre.

Le ravin était plein de brume.

Le soleil déclinait. Il faisait froid.

De la rue, montaient les bruits de la circulation. Les gens rentraient chez eux. Les cloches se mirent à sonner.

Mrs. Ross commençait à s'assoupir. Son mari la berçait doucement dans ses bras. Peu à peu, la nuit gagnait la maison. Maintenant, Mrs. Ross dormait pour de bon.

Au salon, dans son cadre d'argent, la photo de Robert commençait à s'estomper.

Enfin, elle se fondit dans les ténèbres.

C'était le 16 juin.

10

Ce soir-là, le soleil se coucha derrière un écran de fumée. La route de Bailleul était encombrée de voitures et de chevaux. Les troupes qui battaient en retraite étaient désormais trois fois plus nombreuses que celles qui montaient au front. Le sol avait durci sous les pieds des soldats, et l'air était plein d'une fine poussière qui ternissait leurs cheveux et brûlait leurs paupières. Il n'y avait pas d'eau, hors de celle du marais, derrière la haie souvent en flammes des chariots et des camions abandonnés sur le bord de la route. Personne n'osait quitter sa place au sein de la colonne, par crainte de ne plus pouvoir y rentrer. Si une mule ou un cheval tombaient, la voiture était poussée sur le côté, et les blessés qu'elle transportait abandonnés à leur destin. Les bêtes encore vivantes étaient tirées dans le fossé, où elles mouraient inéluctablement par le feu ou par l'eau. Il n'y avait pas d'actes de pitié. Les munitions étaient trop rares.

Il devenait toujours plus évident que les Allemands entendaient détruire Bailleul. Leurs canons à longue portée avaient commencé à tirer ce même après-midi. Tout d'abord, les obus étaient tombés dans les vergers qui entouraient la ville, mais ils s'étaient peu à peu rapprochés du centre pour atteindre la place du marché et les dépôts des chemins de fer. Là, un concours de circonstances devait avoir pour les Anglais des conséquences désastreuses.

Des semaines durant, la gare de Bailleul avait cessé de fonctionner en tant que gare d'accueil; et cela, à cause des navires qui avaient été coulés dans le port de Folkestone. Cependant, trois jours auparavant, grâce aux efforts surhumains des réserves canadiennes stationnées à Shorncliffe, les bateaux en question avaient pu être renfloués, de sorte que la traversée Folkestone-Boulogne était de nouveau praticable, et qu'on avait rouvert la ligne de Bailleul. Ainsi, depuis deux jours, les troupes, les chevaux et le ravitaillement qui jusque-là arrivaient en France par Le Havre et Rouen (loin du front et hors de portée des canons) se déversaient par trains entiers dans la ville même dont les Allemands venaient de décider la destruction.

Bailleul regorgeait donc de soldats — les uns revenant du front, les autres attendant l'ordre d'y aller. Avec les premiers obus commença la panique. Les rues étroites s'emplirent d'une foule affolée à la recherche d'un abri. Des convois d'essence et de munitions furent abandonnés sur place. Des tonneaux et des réservoirs de pétrole se déversèrent sur le pavé pour répandre dans la ville des torrents de flammes. Hommes, voitures et maisons prirent feu comme des torches. Ce fut un holocauste.

Cela aussi eut lieu le 16 juin.

11

Elle était debout au milieu des voies. Elle avait la tête basse et tenait le sabot avant droit levé comme pour se reposer. Ses rênes pendaient jusque par terre et sa selle avait glissé sur le côté. Derrière elle, un dépôt plein de fournitures médicales venait de prendre feu. Un chien était couché à côté d'elle, la tête entre les pattes, les oreilles dressées en position d'écoute.

À dix pas de là, Robert était assis sur ses talons à les regarder. De ses doigts, son pistolet pendait entre ses genoux. Il portait toujours son uniforme, aux insignes arrachés et aux manches brûlées. Dans la lumière du feu, ses yeux étaient très brillants. Ses lèvres étaient légèrement entrouvertes. Il ne pouvait respirer par le nez. Il était cassé. Son visage et le dos de ses mains étaient souillés de terre et de sueur. Ses cheveux tombaient sur son front. Il était absolument immobile. Il errait maintenant depuis plus d'une semaine.

Derrière lui, la voie ferrée conduisait vers la ville. Devant, elle traversait le feu en direction de la pleine campagne et de la route menant au Bois de Madeleine. Sur l'une des voies de garage, il y avait un train. Mécanicien et hommes d'équipe l'avaient abandonné, à moins qu'ils n'eussent été tués. On ne pouvait le dire. Robert paraissait être l'unique survivant.

Il se leva. La locomotive grogna et chuinta. Le convoi comprenait une douzaine de voitures, pas plus. Il semblait que ce fût des wagons à bestiaux. Robert se dirigea vers la jument.

Il avait craint qu'elle ne soit éclopée, mais aussitôt qu'il s'approcha, elle posa son sabot sur le ballast et releva la tête. Robert la caressa, passa le bras autour de son cou et remit les rênes en place par-dessus ses oreilles. Elle le salua d'un reniflement, puis tourna la tête pour le regarder ajuster sa selle et resserrer ses sangles. Cependant, le chien s'était levé et remuait la queue. On eût dit que le cheval et lui avaient attendu que Robert vienne les chercher.

Le cheval était une belle jument noire d'environ seize paumes. Il n'avait cessé d'être bien soigné, et on l'avait manifestement monté chaque jour. Il était en superbe condition. Le chien semblait habitué à sa compagnie, et lui à la sienne. Ils se déplaçaient en flèche. Le chien était noir, lui aussi. L'une de ses oreilles tombait curieusement en avant, ce qui lui donnait un air effronté. Robert ne savait pas de quelle sorte de chien il s'agissait, mais il avait à peu près la taille d'un labrador. Avant de se mettre en selle, Robert se pencha et lui frotta le dos d'une main. Après quoi, il dit « Allons-y », et se hissa sur la jument.

Ils suivirent les rails en direction de la route conduisant au Bois de Madeleine, longeant la locomotive entreposée sur la voie de garage. Lorsqu'ils eurent atteint le premier wagon, le cheval s'arrêta. Il jeta la tête en arrière et hennit. D'autres chevaux lui répondirent de l'intérieur de la voiture. « Parfait, dit Robert. Dans ce cas, on ira tous ensemble. »

Une demi-heure plus tard, les douze wagons étaient complètement vides, et Robert suivait les rails à la tête de cent trente chevaux, le chien trottant à côté de lui. Ils atteignirent la route du Bois de Madeleine à une heure du matin. C'est alors que la lune se leva — rouge.

12

C'est ici qu'intervient la mythologie. Selon certaines versions, la poursuite s'engagea sur-le-champ — ce qui paraît douteux. Selon d'autres, Robert traversa La Chodrelle au galop, éperdu, derrière la horde de chevaux emballés. Plusieurs « témoins » prétendent avoir assisté à la scène. Ils décrivent Robert comme une sorte de cowboy en fureur, jetant au passage le cri des rebelles, lançant délibérément ses chevaux contre le cordon de soldats qui tentaient d'arrêter sa fuite — en tuant trois, cinq, neuf ou même une douzaine. Quoique rien de tout cela ne figure dans les archives du procès, lesdits « témoins » soutiennent qu'il s'agit là de la pure vérité.

Cependant, la version qui, de loin, paraît la plus plausible rapporte que les chevaux contournèrent la forêt située à l'ouest de La Chodrelle, et éveillèrent en passant les troupes d'un certain major Mickle, qui bivouaquaient de l'autre côté du bois, dans un champ de lin. Robert aurait alors tué un soldat dénommé Cassles. Selon deux témoins — dont l'un déposa devant le conseil de guerre —, Cassles partit seul et sans arme pour tenter d'arrêter Robert, et reçut une balle au visage tandis qu'il essayait de lui arracher les rênes des mains. Ce qui n'est pas très clair, ce sont les raisons qui amenèrent un simple soldat à prendre une telle initiative, alors que Robert, en tant qu'officier du Train, pouvait fort bien s'être vu confier un convoi de chevaux. Mais on peut supposer que Cassles fit tout bonnement preuve de bon sens en estimant que, dans les circonstances actuelles, il n'était pas possible que des chevaux fussent conduits *loin* de Bailleul. Rien ne permet pourtant de l'affirmer en toute certitude.

Quoi qu'il en soit, le major Mickle se rendit lui-même au bureau des transmissions de La Chodrelle pour avertir Bailleul qu'un officier avait tué l'un de ses hommes avant de s'enfuir en direction du Bois de Madeleine avec un nombreux convoi de chevaux.

En raison de la confusion qui régnait à Bailleul, il fallut un certain temps pour découvrir que des chevaux avaient bel et bien disparu sans que *personne* n'ait reçu l'ordre de les conduire où que ce soit. Ce fait une fois établi, Mickle fut chargé de donner la chasse au voleur, et, quatre heures après que Robert eut tué le soldat Cassles, le major partait à sa poursuite à pied avec un détachement de quarante hommes.

13

Ils le découvrirent dans une ferme abandonnée qu'il avait repérée sur la route de Bailleul. Robert avait réparti les chevaux dans divers bâtiments : soixante dans l'étable et dans l'écurie, et cinquante avec lui, la jument noire et le chien, dans une grange vide. Quant aux vingt derniers, ils s'étaient enfuis en direction de la rivière et avaient disparu. À partir de cet instant, tout ce qui arriva est parfaitement clair et précis.

Le soleil s'était couché dans un ciel sans nuages. L'air était tout bruissant d'insectes. Mickle déploya ses hommes autour des bâtiments, avec ordre d'abattre Robert si celui-ci ouvrait le feu. Sur ce point, Mickle était catégorique. Cassles avait été tué, et tué par Robert. Cependant, Mickle était déterminé aussi à sauver les chevaux. Et c'est ce qu'il annonça à Robert, planté au milieu de la cour.

De l'intérieur, Robert l'observait par l'entrebâillement de la porte. Il avait sorti son webley, décidé qu'il était à tirer sur quiconque essaierait d'entrer pour s'emparer de lui ou libérer les chevaux. Car il n'était pas question pour lui que les chevaux fussent ramenés au front — sinon, comment expliquer sa conduite ?

Quoi qu'il en soit, Mickle somma Robert de jeter son arme et de se rendre avec les chevaux, en lui promettant de tenir compte de cette « reddition volontaire » lorsqu'il soumettrait le cas à la police militaire.

Robert refusa.

Mickle rétorqua que, dans ces conditions, il n'avait d'autre solution que de recourir à la force.

En guise de réponse, Robert tira un coup de feu sur Mickle — et le rata.

Mickle ne manquait pas de courage. Du comportement de Robert, il déduisit qu'il avait affaire à un fou et qu'il devait agir en conséquence. Il décida donc qu'il ferait à la fois preuve de compassion et de bon sens — ce qui, d'ailleurs, nous amène à nous poser certaines questions sur sa propre santé mentale, car ce qu'il fit ensuite ne nous apparaît pas moins « fou » que ce qu'avait fait Robert en désertant et en emmenant les chevaux. « Nous vous sortirons de là, déclara-t-il solennellement. N'en doutez pas. Je vous aurai, même si vous me tuez. »

Sur quoi, il offrit une fois encore à Robert la possibilité de se rendre, et une fois encore Robert y répondit par un coup de feu. Mickle était alors caché derrière le portail qui donnait accès à la cour ; cependant, il entendit très distinctement Robert lui crier (ainsi que vingt témoins l'ont ensuite confirmé) : « On ne nous aura pas. »

L'emploi du « nous » l'induisit en erreur. Il conclut que Robert avait un complice — ou même plusieurs. Néanmoins, il croyait connaître le moyen de les obliger à sortir.

Il envoya quatre hommes derrière le bâtiment et leur donna l'ordre de mettre le feu au toit.

Ce qu'ils firent.

Par la suite, Mickle répéta qu'il n'avait pas le choix. Il n'avait nulle intention de mettre les chevaux en danger et ne pouvait deviner que Robert serait incapable d'ouvrir les portes à temps pour les faire sortir.

Le feu avait pris.

Mickle affirme qu'aussitôt on entendit le chien donner l'alarme.

Comme le toit était couvert de chaume et qu'il n'avait pas plu depuis deux jours, le feu se propagea avec une rapidité extrême. Moins d'une minute après qu'on l'eut mis, la partie arrière du toit s'effondrait dans la grange — et, selon toute probabilité, sur le dos des chevaux.

On ignore ce qui empêcha Robert d'ouvrir les portes. Peut-être est-ce alors qu'il eut la clavicule cassée par les chevaux pris de panique ; peut-être même demeura-t-il inconscient durant les trop rares minutes dont il disposait pour agir. Ce qui est certain, c'est que, lorsque Mickle l'entendit crier « Je ne peux pas ! Je ne peux pas !

Je ne peux pas! », et comprit qu'il voulait dire par là « Je ne peux pas ouvrir les portes », il était trop tard. Il envoya aussitôt un homme à la rescousse — et les portes furent enfin ouvertes. On vit alors Robert au milieu de la grange essayer de maîtriser la jument noire sur laquelle il était monté. Il était entouré de flammes, et ses vêtements étaient en feu. Mickle avoue qu'à ce moment-là, il ne put s'empêcher de prier — demandant pour Robert une mort rapide.

Mais, tandis que la grange commençait à s'écrouler sur les cinquante chevaux, Robert réussit à faire faire demi-tour à la jument, qui bondit à travers les flammes en direction de la sortie. Aussitôt, Mickle et ses hommes s'élancèrent à son secours et le roulèrent dans la poussière pour éteindre le feu qui continuait à ravager ses vêtements.

Selon Mickle, quand les dernières flammes eurent été maîtrisées, c'est à peine si l'on pouvait encore distinguer que Robert avait un visage ; pourtant, on l'entendit très distinctement répéter : « Le chien. Le chien. » Après quoi, il perdit conscience.

Jamais le chien ne fut retrouvé.

14

Transcription : Marian Turner — 3

« Le langage est une chose étrange, non ? Le *Bois de Madeleine... Magdalene Wood.* Comme les Américains, les Canadiens prononcent *Meg-deliiin* Wood ; mais les Anglais, eux, disent *Maudelin* Wood. Maudlin, Meg-deliiin, Madeleine. Les trois noms sont gentils, mais, personnellement, je préfère *Madeleine,* et, lorsque j'en parle, c'est toujours ce nom-là que j'emploie. J'ai donc travaillé au Bois de Madeleine du printemps 1916 à l'automne de l'année suivante — en gros, dix-huit mois. Une vie... Tenez, voici une photographie... (On y voit Miss Turner, âgée d'une vingtaine d'années, assise dans l'herbe avec trente ou quarante autres infirmières, toutes en uniforme.) Des jeunes filles, vous voyez. Nous étions des jeunes filles. Et je suis la seule survivante. Ici, c'est Olivia Fischer, ma meilleure amie — mon amie. « Fischer avec un C », précisait-elle toujours ! *(Rire)* Elle est jolie, non ? *(Elle repose la photo. Bessie Turner, la sœur de Marian, entre alors dans la pièce. Elle va s'asseoir près de la fenêtre, dont elle repousse les rideaux pour laisser entrer davantage de soleil.)* C'est le 18 juin 1916 qu'on nous a amené Robert Ross. Je me rappelle la date parce que, deux jours avant, l'hôpital avait été bombardé. C'était la première fois que je voyais la guerre de si près. Toutes les tentes — nous vivions dans des tentes, nous autres infirmières — avaient été détruites ; et la maison qui servait d'hôpital avait elle-même subi des dégâts importants. Je me souviens de ma première vision quand le raid s'est enfin terminé — ça m'a paru tout à fait extraordinaire : je sortais de dessous le lit où je m'étais mise à l'abri, et j'ai vu le chat blanc dont nous avions fait notre mascotte. Il était assis bien tranquillement sur une marche d'escalier et se léchait les pattes, comme si de rien n'était ! C'est ça, la vie... Rien ne l'arrête — et rien n'empêchera jamais un chat de faire sa toilette ! Nous, il nous fallait reprendre le travail et remettre l'hôpital en état. Tout était cassé ; il ne restait pas une seule vitre intacte. La situation était désastreuse. Les Allemands avaient tout mis en œuvre pour nous détruire — et d'Ypres à Ploegstreet et Armentières, le saillant s'en allait en fumée. En plus, il fallait que nous nous préparions pour l'offensive de la Somme, qui devait débuter à peine deux semaines plus tard. Bref, c'était la pagaille. Et c'est dans ces conditions que nous avons reçu Robert Ross. *Reçu,* c'est le cas de le dire : nous l'avons reçu comme un paquet. Ou comme un message. Ou comme un cadeau. Mais je vous ai déjà raconté cela, et dans quel état il était, avec ses brûlures, ses souffrances, et l'effroyable silence qui l'enveloppait. On nous l'a amené de nuit, très tôt le matin. Je me revois parfaitement debout dans l'obscurité à côté de son brancard en train de lui dire : « Je suis là... » J'étais furieuse qu'on lui ait collé un garde — un jeune type de la police militaire. Il ne le quittait jamais. Tout le temps qu'on opérait Robert, il est resté derrière la porte — parce qu'il avait tué ! La bataille se déchaînait, et un homme était posté là pour veiller à ce que Robert ne s'échappe pas ! Je me demande bien où il aurait pu s'échapper ? Dans la mort, sans doute, ou dans le sommeil — dans les quelques heures de répit que lui accordait la morphine... Je vous assure, ça me rendait folle de voir ce gaillard pétant de santé assis sur une chaise au chevet de Robert!» *(À la question de savoir si elle a eu l'occasion de s'entretenir avec Robert Ross, Marian Turner répond par un silence. Cependant, de l'autre bout de la pièce, on entend la voix de sa sœur:* «Pourquoi ne lui dis-tu pas, Mernie? Dis-le lui, ça te soulagera.» *Après un nouveau silence, on entend Marian Turner se lever de son siège. Par la suite, le son de sa voix est plus faible, car elle est allée à la fenêtre, d'où elle regarde le parc, et elle parle le dos au microphone.)*

«Oui, j'ai eu une conversation avec lui. Une seule. Vous comprenez, parler lui était pratiquement impossible. Je pouvais lui parler, moi — et je lui parlais souvent, mais je n'attendais pas de réponse. Sauf cette fois-là. Je lui avais fait de la morphine. On commençait à en manquer sérieusement. C'était après le 1er juillet, et l'offensive de la Somme nous valait un surcroît de blessés. Mais j'en avais gardé pour lui — j'avais une petite provision secrète... *(Voyant qu'elle hésite, Bessie l'encourage:* «Vas-y, dis-le!» *Mais il y a encore un long silence avant que Marian ne reprenne.)* Je suis infirmière. Jamais je n'ai offert la possibilité de mourir à personne. Souvent, j'ai prié dans ce sens, c'est tout. Mais cette nuit-là — au milieu de toutes ces ténèbres, au milieu de toutes ces souffrances, avec ces blessés qu'on nous amenait, chaque jour plus nombreux, avec cette guerre qui jamais, jamais ne finirait — cette nuit-là, j'ai pensé: *J'ai honte de vivre.* J'ai honte de la *vie.* Et j'ai voulu donner à Robert Ross l'occasion d'en sortir. À ce moment-là, je connaissais son garde, et je lui ai demandé d'aller me chercher je ne sais quoi pour me débarrasser de lui. Une fois qu'il est parti, je me suis assise à sa place, au chevet de Robert, et je me suis penchée vers lui. À travers les barreaux (on avait mis des barrières autour de son lit pour l'empêcher de tomber, car, pendant son sommeil, il essayait parfois de se lever), je lui ai dit: «Si vous voulez, je peux vous aider.» À sa réponse, j'ai su qu'il avait compris. Il a simplement dit: «Pas encore.» *Pas encore.* Il aurait pu dire: «Non.» Il aurait pu dire: «Jamais.» Il aurait pu dire: «Oui.» Mais il a dit: «Pas encore.» Et ces deux mots, je crois, contiennent l'essence même de Robert Ross. Ou l'essence de ce que signifie «être vivant». Depuis lors, *Pas encore* est devenu ma devise, mon mot d'ordre..., et je suis toujours là.» («Nous sommes toujours là», *corrige Bessie Turner. Puis, se tournant vers l'enquêteur, elle propose:* «Prendrez-vous encore un peu de sherry?)

(Par la suite, Marian Turner envoya une photographie, sur laquelle on la voit avec son amie Olivia Fischer et le chat blanc dont elle avait parlé.) «J'ai pensé que ça pourrait vous faire plaisir, *écrivait-elle dans le mot qui l'accompagnait.* À mon âge, on n'a plus besoin de photos.»)

15

Robert demeura deux mois en état d'arrestation à l'hôpital du Bois de Madeleine avant de pouvoir être déplacé. Fin août, il fut transféré en Angleterre, où, en septembre, il fut jugé *in abstentia,* et, ne pouvant être gardé en prison, autorisé à partir en convalescence à St. Aubyn. Cette dernière «faveur» lui fut accordée en raison du fait que, selon le témoignage des médecins, il n'y avait pratiquement aucun espoir qu'il retrouve jamais la possibilité de marcher ou de voir ni la faculté de jugement.

Avertie de son arrivée, Barbara d'Orsey lui fit une visite. Elle se présenta les bras chargés de freesias — et en compagnie du lieutenant-colonel Albert Rittenhouse, un Australien à qui sa valeureuse conduite à Gallipoli avait valu maints éloges et deux décorations.

Juliet d'Orsey dit avoir aimé Robert Ross. Il ne peut y avoir aucun doute là-dessus. Tandis qu'il se remettait de ses brûlures, elle ne quitta que rarement son chevet. Chaque jour, elle lui apporta des fleurs, hiver comme été. En hiver, elle allait les cueillir dans la serre. À côté du lit de Robert, il y avait toujours une bougie éteinte.

Il mourut en 1922. Il n'avait pas encore tout à fait vingt-six ans.

Il existe une photo de Robert et de Juliet prise peu de temps avant sa mort. Il porte un bonnet — une sorte de toque — tiré sur les oreilles. Il n'a pas de sourcils; son nez est déformé; et son visage n'est qu'une masse de tissu cicatriciel. Juliet lève les yeux vers lui, tandis que lui-même regarde l'objectif. Il tient la main de Juliet. Et il sourit.

Mr. Ross est le seul membre de sa famille qui soit venu pour son enterrement. Sur sa tombe, Juliet fit graver ces mots :

TERRE, EAU, AIR ET FEU

ROBERT R. ROSS

1896 1922

ÉPILOGUE

La photo date de 1915; elle a été prise à Lethbridge. Robert est assis sur un tonneau. Derrière lui, on devine des tentes, des sacs de couchage et des lits de camp. À ses pieds, dans le flou du premier plan, quelqu'un est couché sous une couverture — quelqu'un dont on ne distingue qu'une épaule et une main, reconnaissable seulement à la forme étrangement précise du pouce. Robert porte des bandes molletières, et son uniforme est soigneusement boutonné. Cependant, il est tête nue. Ses yeux sont braqués sur la caméra, et sa bouche est légèrement entrouverte. Ses cheveux sont ébouriffés par le vent. Sans doute est-ce le printemps, car l'herbe est encore courte. Sa main gauche n'est pas visible — il semble qu'il soit assis dessus. Peut-être fait-il froid. Le bras droit pend le long du corps, et, dans la main qui le termine, il y a un objet. L'objet doit être délicat. D'après la position des doigts, il pourrait s'agir de quelque chose de vivant, ou du moins de fragile. Mais, en regardant de plus près, on se rend compte que ce n'est rien de tel. L'objet est blanc et à peine plus gros que le poing. Une loupe permet d'identifier le crâne d'un petit animal — un lapin ou un blaireau. Robert le tient entre le pouce et l'index, qu'il a passés dans les orbites. Vous mettez cette photographie de côté, car elle vous paraît importante. À la gauche de Robert, il y a un faisceau d'armes : de vieilles carabines à long canon liées comme des gerbes après la moisson. Puis quelque chose vous revient en mémoire — quelque chose qui a été écrit bien après la mort de Robert, durant une autre guerre (en 1943) par l'essayiste et critique irlandais Nicholas Fagan : *« Entre la chose perçue et celui qui la perçoit…, l'espace peut être mesuré par un cri. Un coup de feu est une forme de cri. Rien ne saurait mieux confirmer notre perception d'une chose que sa destruction. »*

L'archiviste referme son livre, dont elle caresse un moment la vieille reliure tout en regardant dans le vide. Elle pince les lèvres. Elle se lève. Elle va vous dire de partir, mais, un instant, quelque chose la retient : un tapage d'oiseaux derrière les fenêtres. Enfin, elle se décide. Elle passe dans les travées pour éteindre les lampes et vous dire en souriant : « Pressons, pressons, il est tard. » Vous commencez alors à ranger vos affaires : lettres, photos, télégrammes. Et, avant d'enfiler votre pardessus, une dernière image retient votre attention : ROBERT, ROWENA ET MEG : Rowena est à califourchon sur le poney, où Robert la maintient. Au dos de la photographie, on lit : « Regarde ! On peut voir notre haleine ! » Et c'est vrai.

DU MÊME AUTEUR

The Last of the Crazy People (Le dernier des fous)
The Butterfly Plague
Can You See Me Yet ?
Famous Last Words (Le Grand Élysium Hôtel)
Dinner Along the Amazon
Not Wanted on the Voyage
The Telling of Lies
Stones
Inside Memory
Headhunter (Chasseur de têtes)
The Stillborn Lover
The Trials of Ezra Pound
The Piano Man's Daughter (La fille de l'homme au piano)
You Went Away (Nos adieux)
Dust to Dust
From Stone Orchard
Pilgrim

Matt Cohen
Café Le Dog

Laure Conan
Angéline de Montbrun

Maurice Cusson
Délinquants pourquoi ?

Alfred DesRochers
À l'ombre de l'Orford *suivi de*
L'offrande aux vierges folles

Léo-Paul Desrosiers
Les engagés du Grand Portage

Pierre DesRuisseaux
Dictionnaire des expressions québécoises
Le petit proverbier

Henriette Dessaulles
Journal. Premier cahier 1874-1876

Georges Dor
Poèmes et chansons d'amour et d'autre chose

Fernand Dumont
Le lieu de l'homme

Robert Élie
La fin des songes

Faucher de Saint-Maurice
À la brunante

Jacques Ferron
La charrette
Contes
Escarmouches

Madeleine Ferron
Cœur de sucre
Le chemin des dames

Jacques Folch-Ribas
Une aurore boréale
La chair de pierre

Jules Fournier
Mon encrier

Guy Frégault
La civilisation de la Nouvelle-France 1713-1744

François-Xavier Garneau
Histoire du Canada depuis sa découverte jusqu'à nos jours

Hector de Saint-Denys Garneau
Journal
Regards et jeux dans l'espace *suivi de* Les solitudes

Jacques Garneau
La mornifle

Louis Gauthier
Anna
Voyage en Irlande avec un parapluie

Antoine Gérin-Lajoie
Jean Rivard, le défricheur *suivi de*
Jean Rivard, économiste

Rodolphe Girard
Marie Calumet

André Giroux
Au-delà des visages

Jean Cléo Godin et Laurent Mailhot
Théâtre québécois *(2 tomes)*

Alain Grandbois
Avant le chaos

François Gravel
La note de passage

Yolande Grisé
La poésie québécoise avant Nelligan. Anthologie

Lionel Groulx
Notre grande aventure
Une anthologie

Germaine Guèvremont
Le Survenant
Marie-Didace

Pauline Harvey
La ville aux gueux
Encore une partie pour Berri
Le deuxième monopoly des précieux

Anne Hébert
Le torrent
Le temps sauvage *suivi de* La mercière assassinée *et de* Les invités au procès

Louis Hémon
Maria Chapdelaine

Suzanne Jacob
La survie

Claude Jasmin
La sablière - Mario
Une duchesse à Ogunquit

Patrice Lacombe
La terre paternelle

Rina Lasnier
Mémoire sans jours

Félix Leclerc
Adagio
Allegro
Andante
Le calepin d'un flâneur
Cent chansons
Dialogues d'hommes et de bêtes
Le fou de l'île
Le hamac dans les voiles
Moi, mes souliers
Pieds nus dans l'aube
Le p'tit bonheur
Sonnez les matines

Michel Lord
Anthologie de la science-fiction québécoise contemporaine

Hugh MacLennan
Deux solitudes

Antonine Maillet
Pélagie-la-Charrette
La Sagouine
Les Cordes-de-Bois

André Major
L'hiver au cœur

Gilles Marcotte
Une littérature qui se fait

Claire Martin
Dans un gant de fer. La joue gauche
Doux-amer

Guylaine Massoutre
Itinéraires d'Hubert Aquin

Marshall McLuhan
Pour comprendre les médias

Émile Nelligan
Poésies complètes
Nouvelle édition refondue et révisée

Francine Noël
Maryse
Myriam première

Fernand Ouellette
Les actes retrouvés. Regards d'un poète

Madeleine Ouellette- Michalska
La maison Trestler ou le 8e jour d'Amérique

Stanley Péan
La plage des songes et autres récits d'exil

Daniel Poliquin
L'Obomsawin

Jacques Poulin
Faites de beaux rêves
Le cœur de la baleine bleue

Jean Provencher
Chronologie du Québec 1534-1995

Marie Provost
Des plantes qui guérissent

Jean-Jules Richard
Neuf jours de haine

Mordecai Richler
L'apprentissage de Duddy Kravitz

Jean Royer
Introduction à la poésie québécoise

Gabriel Sagard
Le grand voyage du pays des Hurons

Fernande Saint-Martin
Les fondements topologiques de la peinture
Structures de l'espace pictural

Félix-Antoine Savard
Menaud, maître-draveur

Jacques T.
De l'alcoolisme à la paix et à la sérénité

Jules-Paul Tardivel
Pour la patrie

Yves Thériault
Antoine et sa montagne
L'appelante
Ashini
Contes pour un homme seul
L'île introuvable
Kesten
Moi, Pierre Huneau
Le vendeur d'étoiles

Lise Tremblay
L'hiver de pluie

Michel Tremblay
Contes pour buveurs attardés
C't'à ton tour, Laura Cadieux
La cité dans l'œuf
La duchesse et le roturier

Pierre Turgeon
Faire sa mort comme faire l'amour
La première personne
Un, deux, trois

Pierre Vadeboncoeur
La ligne du risque

Gilles Vigneault
Entre musique et poésie. 40 ans de chansons

Paul Wyczynski
Émile Nelligan. Biographie